PAPA QUI ?

D'abord comédienne, puis correspondante à Paris du *Sunday Express*, Claude Sarraute entre au journal *Le Monde* en 1953, où elle s'occupe d'abord de la rubrique « Spectacle », puis, pendant douze ans, de la rubrique « Télévision ». Elle offre ensuite aux lecteurs du *Monde* un billet d'humeur quotidien, dont un recueil a été publié en 1985 sous le titre *Dites donc*. Et, depuis septembre 1992, une chronique hebdomadaire et des portraits intitulés *Quelle histoire !* Elle est également l'auteur de : *Allô Lolotte, c'est Coco* (Flammarion, 1987), *Maman Coq* (Flammarion, 1989), *Mademoiselle s'il vous plaît* et *Ah ! L'amour, toujours l'amour*.

G000167726

Paru dans Le Livre de Poche :

MADEMOISELLE, S'IL VOUS PLAÎT !
AH ! L'AMOUR, TOUJOURS L'AMOUR.

CLAUDE SARRAUTE

Papa qui ?

FLAMMARION

ABI, diminutif d'Abigaïl (11 ans) : fille unique d'Irène, mère célibataire. Nièce de Barbie.

ALAIN : séparé de sa compagne Sylvie. Père de leurs deux enfants : Justine (5 ans) et Romain (2 ans).

BARBIE, diminutif de Barbara : élevée par sa sœur Irène. Tante d'Abi. Petite amie de Clint.

BERNARD : père divorcé de quatre enfants adoptés.

CARO : femme divorcée de Roland parti vivre avec Mamiène. A la garde de leur fils Éric (8 ans).

CLINT, surnom d'Hubert de Ville d'Avène : séparé de Mamiène. Père de Sabrina (12 ans). Ami de Barbie.

ÉRIC (8 ans) : fils de Caro et de Roland. Demi-frère de Gilles. Vit avec sa mère Caro. Va passer un week-end sur deux chez son père et Mamiène.

GILLES : fils d'un premier mariage de Roland avec une Américaine. Étudiant à Harvard. Demi-frère d'Éric.

IRÈNE : sœur aînée de Barbie. Mère célibataire d'Abi.

JUSTINE (5 ans) : fille d'Alain et de Sylvie. Sœur de Romain (2 ans).

MAMIÈNE : séparée de Clint, le père de Sabrina (12 ans) dont elle a la garde. Vit avec Roland.

MAMIE-COUETTE : veuve. Mère de Mamiène. Grand-mère de Sabrina.

MAMITA : veuve. Mère de Roland. Grand-mère de Gilles et d'Éric.

NANOU : veuve. Mère de Caro. Grand-mère d'Éric.

ROLAND : père d'Éric et de Gilles. Beau-père de Sabrina. Vit avec Mamiène.

ROMAIN (2 ans) : fils de Sylvie et d'Alain. Frère de Justine.

SABRINA (12 ans) : fille de Mamiène et de Clint. Vit avec sa mère et Roland.

SYLVIE : ex-compagne d'Alain. Mère de Justine et de Romain.

TONETTE : employée de maison chez Mamiène et Roland.

— Je voudrais réserver une table pour deux... Ce soir, oui... 8 heures... Merci.

— On sort? Super! Tu m'avais pas dit...

— Pas on. Je... Je sors, oui.

— Comment ça, tu sors? Sans moi? Je viens chez toi et tu t'en vas! Ça ressemble à quoi, ça, Clint?

— A quelqu'un qui avait un rendez-vous et qui ne va pas le décommander parce que tu débarques à l'improviste.

— C'est pas vrai. Je t'avais prévenu. Je t'ai tout expliqué au téléphone... Que je serais seule ce soir, que j'avais envie de venir, que je m'ennuyais de toi.

— Moi aussi, tu me manques, ma chérie, mais bon, c'est pas ma faute si... Je te rappelle que, samedi dernier, c'est toi qui t'es décommandée.

— Je pouvais pas faire autrement, tu le sais très bien, Roland avait...

— Ce que je sais, c'est qu'ils passent avant moi chaque fois que... Moi, je ne demandais qu'à être avec toi.

— La preuve que non.

— Écoute, sois raisonnable, je ne peux pas passer ma vie à attendre que tu... J'ai tout de même le droit de continuer à voir mes vieux amis.

— Tes petites amies, oui!

— Chérie, je t'en prie, tu vas pas me prendre la

tête parce que j'ai un dîner. Quand tu es là, je me consacre entièrement à toi. Mais, entre-temps...

— Alors pourquoi t'as dit que t'étais content que je vienne ?

— Mais je le suis, voyons, Sabrina, je suis ravi. Tu es ici chez toi, tu le sais bien. Tu vas, tu viens, comme tu veux. A condition de me laisser libre d'aller et de venir, moi aussi...

— D'aller avec qui ? Avec Barbie ?

— Et pourquoi pas ? Je suis photographe, elle est mannequin, on bosse ensemble, on bouffe ensemble et...

— On vit ensemble, quoi ! Dis pas non, c'est plein d'affaires à elle ici.

— Tu sais, moi, j'y tiens pas tellement, elle, si... Je ne voulais pas t'en parler... J'avais peur que tu le prennes mal...

— Pas du tout. Ça m'est bien égal ! Mais c'était pas la peine de me dire que rien ne serait changé entre nous et que tu m'aimerais toujours autant.

— Mais, je t'aime, voyons, ma chérie, qu'est-ce que tu vas chercher ? Allez, viens m'embrasser... Mieux que ça... Non ? Bon, ben, tant pis... Tu veux que je demande à Amalia de monter faire la dînette ici avec toi ?

— C'est ça ! Pendant que toi, tu vas la faire avec ta baby-doll. Eh ben, qu'est-ce que t'attends ? Vas-y ! Va-t'en !

— Mais, c'est qu'elle me fait une scène de jalousie, ma fille, on dirait ! Ça n'a pas douze ans. Et ça engueule son père pareil qu'une mégère en furie ! T'as pas honte, dis ! Je passe chez la gardienne, je t'envoie Amalia et je viendrai t'embrasser dans ton lit en rentrant. Allez, tchao, ma jolie.

Oui, c'est le père et la fille. Fille unique, fille gâtée d'un couple superbe. Hubert et Marie-Hélène de Ville d'Avène. Clint et Mamiène. Clint parce que c'est le sosie d'Eastwood, en plus jeune. Mamiène à cause d'un mot d'enfant : C'est tout pour Mamiène le cros câteau au cocolat! Un couple de rêve, un rêve de midinette, jeune, riche, beau. Lui, photographe en vogue, photographe à *Vogue*. Elle, héritière d'une fortune sortie des tiroirs-caisses d'une chaîne de grands magasins.

Un couple souriant sur papier glacé dans les magazines à la page « People ». Marie-Hélène de Ville d'Avène, bientôt maman, au gala de la presse. Marie-Hélène de Ville d'Avène, habillée par Dior ou Saint-Laurent ou Ricci ou Chanel, à la première de *La Flûte enchantée*. Marie-Hélène de Ville d'Avène et sa petite Sabrina photographiées par le papa. Marie-Hélène et Hubert de Ville d'Avène dans leur hôtel particulier, rue de Grenelle, décoré par Isabelle Hebey...

Un couple qui n'en est plus un. Séparé de corps et de biens. Clint s'est installé dans un loft fabuleux à la Bastille. Mamiène l'a remplacé rue de Grenelle par Roland, un chirurgien dont on se repasse le nom dans les salons de coiffure : Va le voir, Mamiène, il est formidable. Remarque, t'en as pas vraiment besoin, mais tu verrais Simone, elle a vingt ans de moins... Roland, la bonne quarantaine, beaucoup de charme. Roland, père d'un petit Éric de huit ans qu'il a laissé avec Caro, sa maman, rue d'Athènes, pour aller vivre avec Sabrina et sa maman à elle. Caro, une ancienne infirmière, son assistante en salle d'op à l'hôpital à l'époque de leur rencontre, une infirmière qu'il avait poussée à s'appuyer trois ans d'études pour devenir sage-femme à Lariboisière. Une sage-femme qui avait sacrifié son métier à la carrière de son mari. Elle avait échangé un tabouret en salle de travail contre un bureau de secrétaire dans le cabinet médical ouvert par Roland et un confrère dermato. Ça marchait du tonnerre :

— Je ne touche à rien pour le moment, chère mademoiselle, vaut mieux attendre et en profiter pour me la soigner, cette peau. Allez donc voir le Dr Dubois de ma part...

— Moi, madame, je vous conseillerais une démar-bration — quelque chose d'assez léger — associée à un petit lifting au niveau des paupières... Ce serait beaucoup plus spectaculaire... Oui, ça peut se prati-quer en même temps... Voulez-vous que je voie ça avec le Dr Bricard?

Une secrétaire qui a perdu et son boulot et son bonhomme le jour où il lui a lancé ces quatre mots annonciateurs de catastrophe : Faut que je te parle. Moi, quand ils sont accompagnés d'un : Viens dans mon bureau, on sera plus tranquilles, je me plaque contre le mur pour ne pas tomber : Non, pas la peine... Qu'est-ce que c'est? Je préfère en finir tout de suite.

Caro, il ne lui restait que ses yeux pour pleurer. Et son gamin. Et l'appartement qui allait avec. Roland aurait bien aimé récupérer le tout, mais, bon, fallait pas pousser. On verrait plus tard.

Éric et Sabrina vont chez leurs pères respectifs un week-end sur deux. Quand ils sont là. Entre deux séances de photo à Tahiti et deux colloques sur la culotte de cheval à Miami.

Ça va là? vous suivez? Non, parce qu'on va se lan-cer dans des histoires de famille à rallonges et comme je ne voudrais pas vous perdre en route, je vais essayer de baliser les pistes.

Bon, alors, où j'en étais? Ah, oui! Clint vient de sortir rejoindre sa petite amie. Et là, qu'est-ce qu'elle va faire, Sabrina? Elle va se jeter sur le téléphone pour appeler Éric, son... Non, pas son demi, pas vrai-ment, son semi-frère, qu'elle taquine, qu'elle hous-pille, qu'elle malmène. Elle a le droit, elle l'aime : Grand comment, dis, Sab? — Grand comme toi! Non, pas plus que ça... — Comme la tour Eiffel? Pourquoi pas comme l'univers, pendant que tu y es?

— Allô, c'est toi Éric? J'avais peur de tomber sur ta mère.

— Tu risques pas. Elle est sortie. Et tu sais avec qui ? Avec un homme...

— Mais qu'est-ce qu'ils ont tous aujourd'hui ? Clint vient de se barrer, et chez moi il n'y a personne. Ils avaient un grand dîner, maman et Roland. Je suis furieuse après lui.

— Après mon père ?

— Non, le mien. Il aurait quand même pu se décommander. Si c'est pour me retrouver avec une baby-sitter, c'était vraiment pas la peine que je vienne ici. Surtout qu'elle est nulle, Amalia. C'est la fille de la gardienne. Une Portugaise. Elle a plein de poils partout. En plus, elle se lave pas. Et en plus, elle sert à rien. Je suis quand même assez grande pour...

— Tu dis ça devant elle ?

— Non, je l'ai installée devant la télé dans le living. Je t'appelle de la chambre.

— T'as le téléphone dans ta chambre, chez ton père ?

— Tu rigoles ? Celle de papa. Elle est hyperchouette. Il y a un lit énorme avec un miroir au plafond. Je me demande bien pourquoi.

— Dis, Sab, quand j'ai appelé papa hier soir, ta mère gueulait derrière et il lui a dit : Boucle-la, tu veux ! T'as pas l'impression que ça va plus très bien entre eux ? Je me demande s'il en a pas marre, papa.

— Marre de ma mère ? Non, mais ça va pas ! C'est pas parce qu'il a quitté la tienne que...

— Si, justement, ça peut très bien recommencer. Ils sont même pas mariés.

— Ça, c'est elle qui veut pas. Et tu sais pourquoi ? Je lui ai demandé. Elle me l'a dit. Elle veut garder le nom de papa : Quand on s'appelle Marie-Hélène de Ville d'Avène, on ne devient pas Mme Roland Bricard.

— N'empêche, s'il se barrait, tu crois qu'elle le prendrait aussi mal que maman ?

— Tu sais, c'est pas le genre à se laisser larguer. D'habitude, c'est plutôt elle qui... Et elle est hyperbelle, plus que la tienne...

— Quoi, la mienne ? Tu la connais même pas.

— Eh bien, justement, il est question que maman organise une rencontre.

— Entre qui?

— Entre eux. Enfin, je veux dire, entre ta mère, ton père et...

— Une rencontre entre mes parents? Non, mais de quoi je me mêle? Ils ont besoin de la permission de ta mère pour se voir, maintenant?

— Mais non, tu comprends rien. S'agit d'inviter Caro à dîner un samedi où tu serais chez nous. Pour qu'elles fassent connaissance et tout. D'après la psy, c'est parce que t'as pas accepté que Roland quitte ta mère pour la mienne que...

— Bon, et même! Pourquoi est-ce que je comprendrais mieux en les voyant ensemble?

— Parce que tu pourras faire la comparaison! Non, mais sérieusement, arrête de m'interrompre tout le temps, je sais plus où j'en étais... Ah! oui, c'est ça, paraît que t'es perturbé.

— Perturbé, moi?

— Ouais, Roland a dit à maman que ça n'allait pas, que t'étais très bon en classe et là, paraît que t'as ramené un mauvais bulletin.

— C'est même pas vrai! Il avait rien de spécial, mon bulletin. Bon, il était...

— Alors, qu'est-ce que c'est que ces salades? Tiens, ça me donne une idée. On va se les perturber, et pour de vrai, tu vas voir...

Elle raccroche. Elle décroche. Elle pianote, en ouverture de son grand air de diva, et s'arrime au fil qui la relie jour et nuit à sa meilleure amie.

— Allô, Abi? Je t'appelle parce que je peux pas t'appeler. Mon père m'emmène dîner au restaurant... Non, pas Roland... Lui, il va nous avoir des billets pour le gala de Johnny, à Éric et moi... Là, je sors avec Clint... Dis donc, je t'ai raconté pour Alain?... Non, rien, simplement, il vient tout le temps là, en ce moment... Bon, allez, faut que j'y aille... A demain, O.K.!

Oui, elle frime, là, Sabrina. Elle se raconte, elle lui raconte des histoires à sa copine. Pourquoi ? Pourquoi pas ? Elle corrigera le tir quand ça l'arrangera : Moi je t'ai dit que je sortais avec mon père ? N'importe quoi ! Il avait rendez-vous avec Barbie. Et tu sais ce que j'ai fait ? Abigaïl va écouter ça, bouche bée, complètement snobée par ces situations à tiroirs si différentes de la sienne. Celle de la fille d'un prof de lycée, à qui elle donne du fil à retordre en ce moment.

Elle est passée sans transition de l'état de latence à l'état de révolte pour débouler en plein âge ingrat, Abi, si tant est que ça existe encore. Non, c'est vrai, ça a disparu pareil que les vapeurs — Ciel, elle s'est évanouie ! — et les envies à partir du troisième mois de grossesse : Oui, je dors, qu'est-ce qu'il y a encore ? Du caviar aux groseilles ? Mais où veux-tu que je... Bon, bon, très bien, j'y vais.

A notre époque, les gros genoux, les épaules voûtées pour ne pas avoir l'air d'un échalas, les mains rouges et gercées, les cheveux gras, c'est de l'histoire ancienne. Bien sûr, il y a des exceptions. Ne serait-ce que pour confirmer la règle. Prenez Sabrina, si fine, si lisse, si sûre d'elle, encore enfant et déjà femme, elle glisse sur les eaux et dormantes et tourmentées de l'adolescence, comme un bébé cygne flanqué d'un petit canard, cette Abi, si mal dans sa peau, si mécontente de son sort, si mignonne, elle aussi, sans le savoir, sans le vouloir, Tout en le voulant, Abi cherche Abigaïl désespérément.

L'ascenseur vient de cracher sur le palier du troisième, en smoking et robe du soir, un Roland crevé, de mauvais poil — il s'est payé quatre nez à retaper, des nez ratés par ses charcutiers de confrères sans parler d'un ventre à liposucer, suivis d'un dîner indigeste entre deux vieilles peaux à rapetasser du bas en haut —, et une Mamiène encore tout excitée. Il n'y en a eu que pour elle au cercle Interallié. Faut dire, elle est superbe dans son fourreau de soie pailletée. La trentaine maintenue d'une main ferme. Élégante, épanouie. Pas trop, non, pas encore. Mais bon, attention, danger! Longues jambes. Jolis traits. Un teint de brune, mat, satiné. Des cheveux remontés en chignon, avec plein de mèches folles dégageant un long cou doré. Et cette voix, reconnaissable entre toutes, basse, grave, chaude, une voix d'alcôve. Pas le genre Orly, non, le genre Marlène. Et cette odeur musquée, fruitée, ce parfum qui n'appartient qu'à elle et dont une vieille sorcière d'origine tunisienne, une amie de sa mère, a le secret.

Donc ils sont là, sur le palier. Elle, très chatte, très sensuelle, caresse du menton sa cape frangée de cygne noir. Lui fourrage, agacé, impatient, dans les poches de son imper.

— Ah! non, chéri, ne me dis pas que tu as oublié la clé!

— Désolé, j'ai dû la laisser sur...

— Mais il n'y a personne pour nous ouvrir. Ce week-end, les enfants...

— Tiens, la voilà... Passe devant.

— T'as laissé allumé au... Sabrina! Mais qu'est-ce que tu fais là?

— Tu vois bien, maman, je regarde la télé.

— Mais tu devais être chez ton... Pourquoi tu es rentrée? Et à quelle heure?

— Il n'y a pas longtemps. Ils sont sortis, Clint et Barbie. Et comme leur sitter me casse les pieds, je suis partie, j'ai pris le métro et...

— En pleine nuit? Mais tu te rends compte un peu du danger avec tous ces sadiques, tous ces drogués qui... Tiens, le téléphone! Attends, Roland, laisse-moi le prendre. C'est sûrement Clint et il va m'entendre!... Oui, elle est là et t'as bien de la chance, il aurait pu lui arriver Dieu sait quoi... Enfin, c'est pas croyable, elle vient chez toi et tu la plantes là toute seule... Non, je regrette; moi, c'est pas pareil, elle vit ici à demeure, normal qu'on sorte de temps en temps... D'accord, c'est pas ton week-end... Mais t'as accepté qu'elle vienne. Alors, si c'est pour... Attends, ça sonne sur l'autre ligne... Roland, réponds, tu veux; à cette heure-ci, ça doit être un faux numéro... Retire ça, tout de suite, Clint!...

— Allô! Oui, c'est moi. Qui veux-tu que ce soit? Non, on vient de rentrer, mais tu crois pas que tu pousses là, Caro? C'est pas une heure pour... Comment ça, Éric n'est pas là? Qu'est-ce que tu racontes?... Il n'était pas dans sa chambre quand tu es.... Mamiène!

— C'est ignoble, ce que tu viens de dire, Clint, c'est... T'es vraiment nul, t'es...

— Mamiène, tu vas m'écouter, oui? Éric a disparu, il n'est pas chez sa mère... Lâche-moi, tu veux, Caro. C'est tout de même pas ma faute si ton fils a... Bon, O.K., le mien aussi, mais c'était pas mon tour de... Oh! écoute, épargne-moi tes... C'est vraiment pas le moment...

— Bon, ça va, arrêtez de vous engueuler tous les quatre. Il est là, Éric. Dans sa chambre.

— Tu pouvais pas le dire plus tôt, Sabrina? Allô, Caro, rassure-toi, il est ici. Mais je n'en sais rien... Non, c'est pas moi qui lui ai demandé de... Qu'est-ce que tu vas encore t'imaginer? Bon, allez, je te rappelle... Mais non... Mais si... A tout de suite! Ce qu'elle peut être crampon!

— Allô, Clint... Ah! merde, il a raccroché, le salaud! Il perd rien pour... Enfin, Sabrina, tu vas nous expliquer? Qu'est-ce que c'est que ce cirque?

— J'allais vous le demander.

Vous aussi, vous voudriez bien qu'on vous explique. Les enfants ont voulu donner une leçon aux parents. De quel droit? Enfin, voyons, ils ont tous les droits. Depuis quand? Depuis que les parents n'ont plus aucun devoir. Notre espèce qui s'est reproduite d'instinct, à la va-comme-je-te-pousse, sans se poser trop de questions, pendant des millions d'années, vient de faire — ce que c'est que les progrès de la science! — une découverte fracassante : l'enfant est une personne.

C'était quoi, avant? On ne sait pas. Une plante d'appartement ou un animal de compagnie, probable. Un animal qu'on déguisait en petit homme, en petite femme, habillé tout pareil, péplum ou haut-de-chausses, cotte ou vertugadin selon les époques. Ça savait à peine marcher que ça recevait du monsieur, du mademoiselle gros comme le bras et que ça s'attelait aux tâches de la maison, de la boutique ou de la ferme. Vous auriez vraiment cru un être humain!

Eh bien, c'en est un, figurez-vous! Maintenant, c'est admis. Un être humain pareil que le parent. Mieux, bien mieux que le parent. Beaucoup plus réceptif, beaucoup plus intelligent. Mollement bercé dans le ventre de sa mère, le parent tirait sa flemme en se laissant pousser les bras, les jambes et même les cheveux. L'enfant, lui, en profite pour apprendre l'anglais sans peine et cogne à la paroi abdominale pour qu'on lui repasse *Les Quatre Saisons* de Vivaldi, histoire de s'habituer à poireauter plus tard, au bout d'une ligne de téléphone.

Le poupon qu'on envoyait paître à la campagne autrefois emmène aujourd'hui son parent, prié de ne pas se mêler à la conversation, chez le pédiatre : Alors, ma petite Marion, on a de l'eczéma? La faute à qui, ça? La faute à quoi? A la nervosité de maman. A l'égoïsme de papa. Elle vous a mis vos Pampers devant derrière et lui s'est tapé un whisky, en rentrant du bureau, avant de venir vous faire guili-guili dans la nursery. Non, désolé, suffira pas d'un bout de coton imbibé d'alcool à 90° pour enlever ces croûtes sur votre crâne, faudra exiger de vos parents un peu plus de calme, un peu moins d'indifférence. Et surveiller leurs rapports sexuels, très important ça, si on ne veut pas se choper les coliques du troisième mois...

Comme le fait très drôlement remarquer Guy Baret dans un livre désopilant, *Allô maman Dolto*, l'enfant, c'est quelqu'un. Quelqu'un à qui on parle. Pas quelque chose dont on parle. On lui parle de quoi? De tout. Quand? Tout de suite après avoir arrêté la pilule. Ou, à la rigueur, immédiatement après un G-test positif. S'il est négatif, parlez-lui quand même, on ne sait jamais.

L'enfant sent, sait, devine et comprend tout. Il doit donc comprendre, et par conséquent accepter, que le parent, son égal, se comporte en enfant. C'est hyper-cool, non, le parent-copain et l'enfant-confident?

— Qu'est-ce que tu penses de Roland, dis, Sabrina? Tu trouves pas qu'il est plus tendre, plus aimant que ton père? Oui, tu le connais à peine, c'est vrai. Si on le prenait à l'essai? Ça n'engage à rien et ça te permettrait de te faire une opinion.

Ou encore:

— Éric, réveille-toi, mon chéri... Quelle heure il est? Attends voir... 2 heures du matin... Écoute, faut que je te dise, ta mère m'a encore fait une scène épouvantable et, bon, je m'en vais. Mais si, toi, je t'aime, qu'est-ce que tu vas t'imaginer? La preuve, je voulais pas partir sans te dire au revoir!

A quoi, elle ressemble, Caro, l'ex de Roland? C'est une petite blonde, coiffée à la garçonne, plutôt mignonne, très fine, malgré de fréquentes crises d'une dévorante boulimie. Tenez, regardez-la! Au lieu d'aller se coucher tranquillement, plus aucune raison de s'inquiéter, Éric est en sécurité chez son père, elle fonce à la cuisine. Plonge la tête dans le frigo. S'empiffre de nouilles froides, tartinées au gras d'un reste de sauce et rincées au goulot d'un litron de gros-plant. Avale coup sur coup six grands verres de whisky-Coca. Et entame son quatrième paquet de cigarettes.

Qu'est-ce que j'attends pour l'engueuler? Qu'elle ait dégueulé? Non, j'ai essayé, vous pensez bien, mais ça ne sert à rien. Moi, ça m'a souvent fait pareil. Je bouffais pour combler un trou. Le vide laissé par un de mes enfants qui avait choisi d'aller vivre chez son père, par exemple...

C'est sa hantise à Caro. Caro comment? Caro Jalouse. Jalouse de tout, de rien. Avec ou sans raison. Jalouse de l'obstétricien — elle a repris du service, après le départ de Roland, pas à la maternité de Lariboisière, où elle régnait en souveraine, non, dans une clinique à la mode. Il débarque à la dernière minute en tapotant son brushing, l'accoucheur : Tu lui as bien appuyé sur la tête à ce bébé, pour pas qu'il arrive avant moi, Caro? Bon, ben, pousse-toi de là, ma poule, et laisse-moi faire.

Jalouse de l'Amerloque, elle ne l'a jamais appelée autrement, épousée par Roland à l'occasion d'un séjour d'études aux États-Unis, il y a plus d'un quart de siècle. Le temps de lui faire un enfant, Gilles, un grand garçon de vingt-quatre ans, inscrit à Harvard. Une femme marrante. Remariée à un homme d'affaires texan. Elle n'a pas revu son ex depuis des lustres et, si elle le croisait dans la rue, elle serait incapable de mettre un nom dessus.

Jalouse de la Grosse Galette, traduisez Mamiène, qui a vampé ce snobinard de Roland, en sortant de son sac Hermès ses carnets de chèques et d'adresses : Qu'est-ce que je vous dois, docteur? Je peux vous appeler chez vous tôt demain matin pour vous dire ce que j'aurai décidé pour mes fesses? Elles seraient plus appétissantes en pommes qu'en poires, c'est vrai...

Jalouse et de la Galette et du Snobinard, chez qui Éric passe avec un évident plaisir un week-end sur deux. Ce qui ne veut pas dire qu'il préfère Roland à sa mère. Au contraire, il lui en veut de les avoir quittés, lui et Caro. Mais bon, il adore Sabrina et il résiste mal au charme de Mamiène. Elle respire le bonheur insolent, vorace, sensuel et, oui, friqué. Alors que Caro suinte la tristesse inquiète, amère, suicidaire.

Chez elle, Éric dort dans une pièce sombre. Sur cour. Chez l'Autre, dans une chambre ensoleillée.

Avec douche. C'est injuste, d'accord, mais Mamiène a hérité une énorme fortune à la mort de son père et si elle aime le luxe, Roland n'y est pour rien. Faut dire aussi qu'entre sa pension alimentaire et son salaire, Caro pourrait quand même faire l'effort de distribuer et de décorer autrement cet appart de la rue d'Athènes. Cinq petites pièces dont un salon sinistre où Roland parquait ses clientes avant de les recevoir avec un maximum de retard, histoire de leur laisser le temps de se dévisager, mine de rien, en essayant de deviner ce qui clochait. Maintenant qu'il a accroché sa plaque, merci Mamiène, à la porte d'un somptueux immeuble de l'avenue Montaigne, suffirait d'abattre une cloison et de... Mais non, ça, pas question. Ce serait entériner une situation que Caro s'acharne à aggraver en la refusant.

Attendez que je l'asticote un peu, vous allez voir :

— Dis donc, Caro, il en pince pour toi, c'est net, Alain, le mec avec qui tu viens de dîner à la Coupole...

— Alain ? Vous rigolez, c'est un copain du Snobinard. Il a des emmerdes avec sa nana qui lui refuse le droit de visite et, bon...

— Oui, oui, je sais, figure-toi. Il se trouve que c'est un de mes personnages sans vouloir me vanter, j'en ai fait quelqu'un de très craquant, un type adorable, gentil, sensible, agréable à regarder et tout. Mamiène trouve qu'il ressemble à un Francis Cabrel mâtiné de Gary Cooper.

— Ah ! Parce qu'ils se... ?

— Forcément, oui. Ça n'est pas parce qu'il t'a plaquée que Roland l'a largué, lui. Ils se voient souvent. Surtout depuis qu'ils se sont séparés, Alain et Sylvie. Mamiène ne pouvait pas l'encadrer.

— Pas étonnant ! Elle a réussi grâce à son talent, Sylvie. Journaliste à *Libé*, c'est quand même plus prestigieux, plus valorisant que fille de boutiquier. Mais ça, les nanas qui y arrivent d'elles-mêmes, la Galette, ça lui file des cloques.

— Alors là, tu n'y es pas! Sylvie, elle la trouve froide, égoïste, artificielle, tout simplement. L'envie, Mamiène, elle connaît pas. Si elle n'avait pas pu vivre de ses rentes, elle se serait sûrement montrée plus ambitieuse, plus performante. Là, elle profite de l'existence. A fond. Elle, son truc, c'est la séduction. Plaire, voilà ce qui lui plaît. Alain l'attire d'autant plus qu'il lui échappe. J'en ai donc conclu qu'il avait un faible pour toi. Sinon pourquoi il t'aurait invitée? Personne ne l'y obligeait.

— Si. Le Snobinard. Je vous parie qu'il le lui a demandé : Allez, sois chic, fais un frais à mon ex. Ça lui changera les idées.

— Ça m'étonnerait! C'est un râleur, Roland, et si tout baignait pour toi, si tu lui enlevais toute occasion de s'énerver, de se plaindre, de se fâcher, il...

— Vous vous trompez complètement. Il ne souhaite que ça, il me l'a dit un jour : Si seulement tu pouvais rencontrer quelqu'un, j'aurais la paix. Ben, ça, il peut toujours se l'accrocher! Ma vie, il l'a foutue en l'air, qu'il ne compte pas sur moi pour la refaire. Non, mais qu'est-ce qu'il croit? Ce serait trop commode!

Une goulue, Mamiène, c'est vrai. Elle veut tout, tout de suite, tout le temps. Les choses, les animaux, les gens. Une parka sublime en vitrine à quatorze mille balles chez Saint-Laurent rive gauche : Tiens, ça irait bien avec mon chemisier moutarde. Un chat angora photographié dans le *Figaro magazine* à l'occasion du dernier salon : Regarde, chéri, il nous le faut absolument, ça ferait très joli sur les coussins de notre lit. Alain, le copain de Roland, plaqué par Sylvie : Il est trop trognon, invite-le donc à passer le prochain week-end à Montfort-l'Amaury. Je vais m'occuper de lui.

Une prodigue, Mamiène. Elle donne tout, tout de suite, tout le temps. Cette parka, achetée, comme ça, en passant : Tiens, essaye-la, moi finalement... Ce qu'elle te va bien! Je t'en prie, garde-la. Un chat sauvage rôdant autour de sa cuisine à la campagne : J'ai mis le poulet froid du déjeuner sur le pas de la porte, il s'est jeté dessus, le pauvre! Alain, poussé par Roland à refaire sa vie : Tu crois vraiment que ça pourrait le... Bon, ben tant pis, laisse tomber pour samedi.

Elle attire, elle retient, elle n'écarte jamais rien. Ça peut toujours servir, sait-on jamais. Elle aime qu'on l'aime et ne supporte pas d'être brouillée avec qui que ce soit. Pas même son ex-belle-mère. Et Clint, encore moins. Mon ex-futur mari, comme elle dit quand elle a envie d'une bonne scène de ménage avec un Roland piqué au vif, qui hennit de colère en ruant des quatre fers. Avoue qu'il est beau... Non, tu trouves pas? Ben, qu'est-ce qu'il te faut!... Et je te l'éperonne, le Roland. Et je te le fouette. Et je te le chauffe jusqu'à ce que la fumée lui sorte par les naseaux. C'est tellement bon, l'amour après l'orage. L'amour à vif, l'amour à cran, l'amour à l'emporte-sexe.

Là, elle a invité Clint à prendre un verre en fin d'après-midi, histoire de se remettre bien avec lui après le coup de téléphone hystérique de l'autre soir : Faut que je te parle tranquillement... Oui, c'est au sujet de Sabrina. Roland débarque en pleine discussion :

— Non, je ne t'en veux pas, Clint, mon grand, je voudrais comprendre tout simplement. C'est ta fille, tu ne la vois que... Elle arrive et tu t'en vas. Ça ressemble à quoi? Ah! t'es rentré, Roland? Qu'est-ce que je te sers... jus de fruit, champagne, whisky?... Non, je regrette, Hubert, moi, ça n'a rien à voir... Et de toute façon, si c'est pour continuer à sortir chacun de notre côté en la laissant toute seule, c'était vraiment pas la peine de se séparer.

— Merci pour moi.

— Enfin, Roland, t'as rien à voir là-dedans, c'est nos affaires à Clint et à...

— Si, il a raison. C'est très vexant pour lui que tu regrettes notre...

— Qu'est-ce qui peut lui faire croire que je le regrette, j'ai jamais...

Qui ça il? Qui ça lui? De qui s'agit-il, de lui, Roland? Non, mais ce culot! Piqué au vif, il se lève d'un bond. Quand on parle des gens devant eux, on les appelle par leur nom. Ils sont d'un cavalier, d'un grossier, ces deux-là! Il est de trop, c'est ça? O.K., très bien! Il sort en claquant la porte. Alors, Clint :

— Bon, allez, Mamiène, il est temps que je parte. Je ne voudrais pas que vous vous disputiez à cause de moi.

— Mais non, chéri, c'est rien. Je me demande bien ce qui a encore pu le vexer. Non, c'est vrai, je t'appelais Hubert, et pas Clint exprès, pour pas le... Il va ruminer ses rancœurs chez Lipp jusqu'au dîner, après quoi il remontera me manger dans la main et me...

— Excusez-moi, je ne veux surtout pas vous déranger. Fourneron doit m'appeler tard ce soir. Une patiente. Tu seras gentille de lui dire que je passerai demain matin à la clinique. Amusez-vous bien!

— Non, mais ce culot! Me laisser toute seule! Il sait très bien que Sabrina passe la nuit chez Abi. Ah! ça, il me le paiera. Tu restes, hein, Clint, je ne sais plus ce qu'il y a au menu... Je vais demander à Tonette. Je crois qu'elle a fait un...

— Je ne demanderais pas mieux, ma Mine, mais là, je peux pas. On va voir le Woody Allen avec Barbie et on a rendez-vous à la porte du cinéma pour la séance de 8 heures. Faut que j'y aille, d'ailleurs.

— Clint, je t'en supplie, ne me fais pas ça, je deviendrai folle si je reste ici sans personne à...

— A faire tourner en bourrique, oui, je sais. T'as qu'à regarder la télé. Il y a un bon docu sur Arte.

— Tu plaisantes ou quoi? Tu as ta voiture? Tu peux me déposer à une station de taxis? Attends juste que... Tonette, t'es gentille, tu me sors un sac de voyage... Le petit Vuitton, oui, c'est ça. Bouge pas, Clint, j'en ai pour une seconde.

Pourquoi se sont-ils séparés, ces deux-là? Ils ont

pourtant l'air de bien s'entendre. Oui, ils se sont d'autant mieux entendus, qu'ils se criaient dessus! Vers la fin seulement. Pas dès le début. Clint, suffit pas de l'engueuler pour la fouetter, sa libido. Mais, ça, Mamiène ne le savait pas quand elle l'a vu pour la première fois.

Ah! ce choc! Elle est tombée en arrêt comme un épagneul breton devant un faisan. Prête à bondir. Elle n'avait jamais rien vu d'aussi élégant, d'aussi beau, d'aussi craquant. Elle l'a essayé le soir même. Ce n'était pas sa pointure, mais bon, elle s'est dit qu'à l'usage il se ferait à ses désirs, à ses fantasmes.

Rien du tout. C'est un Narcisse doublé d'un Don Juan, Clint. Trop occupé de lui-même pour se préoccuper de quelqu'un d'autre. Aucun appétit, aucun goût pour le travail au tapis. On ne peut l'amener à consommer qu'en éveillant sa curiosité : Tiens, ça m'amuserait de la déshabiller, celle-là. Je me demande comment elle est faite. Il a toujours multiplié et puis soustrait les conquêtes.

Celle de Mamiène l'a retenu assez longtemps. Il avait l'impression d'avoir touché le bon numéro, lui aussi. Luxe, calme et... volupté. Pour elle, sinon pour lui. Elle en était tellement amoureuse qu'elle prenait son pied rien qu'à le regarder, à le toucher. Ayant appris à le connaître, elle s'ingéniait à renouveler sans arrêt le menu de ses caresses, de ses câlins, de ses coquetteries. Et lui se laissait faire. De moins en moins souvent, mais sans regarder ailleurs. Un coq en pâte trop cossard pour courir la poulette. Et conforté dans sa virilité par la naissance de cette petite fille, tôt venue, vite grandie. En extase devant lui.

Jusqu'au jour où, inquiet tout de même de voir que son indice de performance était en chute libre, il s'est senti obligé d'inscrire une nouvelle et nonchalante et indiscrète victoire à son palmarès. Pour se rassurer. Et pour prouver à sa femme qu'il était un homme.

Ça tombait mal. Elle venait de rencontrer un

homme qui la traitait en femme. Désirable. Affolante. Un spécialiste en la matière. La beauté, c'est son métier. Un grand balaise aux lèvres gourmandes, aux mains si douces qu'elles lui donnaient le frisson quand il les posait sur les siennes : Mamiène, je vous en supplie, je ne pense qu'à vous, à moi, à nous ensemble, jour et nuit. Je nous vois, je nous imagine... Ça me rend fou !

Elle résistait. Pas tellement pour rester fidèle à Clint, non, elle avait souvent mené à deux avant de l'épouser. Deux liaisons simultanées. L'une qui se terminait, l'autre qui débutait. Jamais de passage. Elle aimait trop l'amour pour se contenter d'une balbutiante, d'une maladroite première — et dernière — fois. Plutôt pour retarder le moment d'être happée avec Roland par la spirale d'une passion de plus en plus exigeante qui les amènerait, elle le sentait, à lui faire place nette.

Roland était marié. Un gamin. De son côté, il y avait Clint, il y avait Sabrina. Il y avait, pour la première fois, un vague sentiment de responsa-culpabilité. Fallait voir à voir.

Et puis un matin, elle a vu. Elle a vu deux tickets de cinéma déchirés, négligemment jetés dans un cendrier. Stupeur... Bonheur... Fureur... Eh oui, bonheur tremblant de stupéfaite fureur. Elle attrape son téléphone.

— Allô, Clint, avec qui tu es allé au... ? Ah ben ça, alors !... Non, aucune importance... Mais non, ça m'est complètement égal... Je te demandais ça comme ça... Je voulais te dire : Ne rentre pas trop tard ce soir, je ne serai pas là et Tonette s'en va à 9 heures. Allez, tchao !... Non, pas la peine de revenir tout de suite, je m'en vais, là. On verra ça demain.

Elle feuillette le Gault et Millau : Bonjour, je voudrais réserver une chambre. Pour cette nuit. A grand lit. Oui, c'est ça, merci.

Elle compose un numéro de mémoire : Allô, le cabinet du Dr Bricard ? C'est personnel... Roland, c'est moi, c'est Mam... Ah ! vous m'avez reconnue ?

Oui, c'est vrai, ma voix... Si on allait dîner au Plaza Athénée ? 8 heures au bar anglais, en bas, ça vous va ?

A présent, quand ils se racontent — et ils ne s'en lassent pas —, avec des mots toujours les mêmes et toujours différents, cette histoire, leur histoire, ils s'en émerveillent encore : Tu te souviens de la tête du sommelier, obligé de tousser pour attirer notre attention ?... Tu sais, ma Mine, dès que je t'ai vue entrer dans ce bar, sans ton manteau, sans rien, je me suis demandé si, par miracle, tu n'aurais pas... — C'est pas possible, ça, je te crois pas. Mais, moi, quand j'ai vu que tu avais commandé une bouteille de champagne... — T'étais vexée, hein ? Tu t'es dit : Il croit que c'est arrivé ou quoi ! Mamiène, ma Mamiène, ma merveille à moi, tu m'as... — Non, c'est toi. Tu m'as tout appris. — Ça, c'était pas bien difficile, Madame faisait sa savante, son experte, mais en réalité... — C'est révoltant, ça, Roland ! Demande pardon tout de suite. Non, pas comme ça, chéri, non, je t'en prie, arrête...

— Arrête, Mamiène, je t'en prie. Arrête de te monter la tête contre lui. Pauvre Roland !

Elle n'est pas allée bien loin, avec son petit sac Vuitton, Mamiène. Elle s'est pointée chez sa mère. Qui s'inquiète :

— Tu vas pas encore me changer de gendre, dis ? Je m'étais bien habituée à lui, et à mon âge... Je m'ennuie de Clint, tu sais. Il me téléphone bien de temps en temps, mais c'est pas pareil. Paraît qu'elle veut un bébé.

— Qui ça ?

— Ben, sa petite amie... Comment elle s'appelle déjà ?

— Barbara.

— C'est pas ce nom-là. Ah oui, Barbie, c'est ça. Tu étais au courant ?

— Pour elle, oui. Pas pour Clint junior. Sabrina,

ça pourrait l'amuser. Moi, je demanderais pas mieux que de... Mais Roland ne veut rien savoir. Il devient infernal, tu sais, il prend la mouche dès que j'ouvre la bouche.

— Le pauvre ! Qu'est-ce que tu lui as encore sorti ?

— Moi ? Enfin, maman, c'est lui qui est sorti.

— Il devait avoir de bonnes raisons. Et de toute façon, c'en était pas une pour retourner chez ta mère. Où tu crois que tu es, là ? Dans un vaudeville fin XIXe ?

— Oui, sauf que c'est un drame et qu'il s'agit du XXe, pas du XIXe siècle.

— Alors, là, je suis bien d'accord. C'est dramatique. Pas pour toi, ma fille. Toi, tu retomberas toujours sur tes pattes. Enfin, toujours, peut-être pas. A ta place, si je voulais garder mon matou, je commencerais à me méfier des jeunes chattes. C'est pour Sabrina que je m'inquiète. C'est très mauvais pour elle, ces scènes continuelles. En plus, imagine qu'elle te refasse le coup de l'autre soir et qu'elle ne trouve encore personne en rentrant.

— Mais non, là, ça ne risque pas, elle est allée dormir chez sa copine...

— Et demain, quand elle reviendra de l'école, qui elle va trouver ?

— Ben, moi et...

— Et Roland ? Tu crois vraiment qu'il va rentrer tout à l'heure dans un appartement vide, aller se coucher bien gentiment, prendre son petit déjeuner tout seul, filer à la clinique et revenir demain soir en courant : T'es là, chérie ? Où tu étais ? T'as passé une bonne nuit ?

— Peut-être pas, mais...

— Sûrement pas. Et il n'y a pas de mais. Si tu le revois, ce qui m'étonnerait, tu vas l'entendre ! Et tel que je le connais, il n'y a pas plus soupe au lait, Sabrina n'aura pas le temps d'enlever son cartable qu'elle va se prendre, par mégarde, un vase en pleine poire. Allez, sois raisonnable, ma petite fille, remballe ton sac et...

— Tu crois pas que tu pousses là, maman ? Tu pourrais quand même me garder à dîner, non ?

— Ah ça, très volontiers ! Qu'est-ce que tu préfères ? Yaourt à la fraise ou yaourt nature ?

Elle est adorable, la mère de Mamiène. Toute ronde, toute rose et toute blanche. Une mamie de livre d'images. Vieillie à l'ancienne entre ses casseroles et son ménage. Son mari ne comprenait pas : Enfin, Sarah, laisse, on va prendre quelqu'un pour t'aider. On a les moyens ! Elle protestait : Et qu'est-ce que je ferai de mes dix doigts quand je ne suis pas au magasin ? Une Mamie-Couette doublée d'une Mamie-Taloche distribuant d'instinct claques et câlins : Tiens, attrape, ça t'apprendra à répondre à ton père... Allez, c'est fini, ce gros chagrin ? Va vite lui demander pardon... Bon, maintenant, viens m'embrasser, ma poulette. Pas bourgeoise pour deux sous. Une commerçante pleine de chaleur et de bon sens.

Et elle a mille fois raison. A une époque où la famille prend de la valeur, une valeur refuge, où il n'est question que de se pelotonner, bien au chaud, bien au doux, bien à l'abri des difficultés de la vie dans son terrier, au lieu de le colmater, on l'ouvre à tous les vents. Les gens entrent et sortent au gré des rencontres, des caprices, des passions. Salut là-dedans, je me présente, je suis le copain de la femme du père de la demi-sœur du fils de ma nièce. Vous me faites de la place ? Non, vous êtes déjà en surnombre ? Bon, ben, alors, vous, le mari, ouste, dehors !

L'ennui, c'est qu'on s'attache à certaines de ces pièces rapportées qui se détachent en provoquant des chocs, des carambolages, des accidents de parcours et des victimes en veux-tu en voilà. Ceux qui restent regrettent ceux qui partent. Et réciproquement. Pas toujours. Souvent.

Et ça fait mal, très mal de perdre une belle-fille, un

petit-fils d'emprunt, quelqu'un — ou quelque chose ?
— qu'on vous a donné : Tu vas aimer. Et qu'on vous
reprend : J'aime plus. On vous le remplace : Tiens, je
t'en amène un autre, bien mieux. Et on vous
l'enlève : J'ai envie de le balancer, trop moche.

On n'ose pas protester, après tout, on n'est pas
dans ses meubles. Mais à force d'en changer, on ne
sait plus où on en est. Alors, on supplie : Laisse-le-
moi encore un peu. Il va me manquer. — Non, non,
c'est une tache, je préfère faire le vide, en attendant
de dénicher exactement ce qu'il me faut à la prochaine foire aux occasions.

Éric est allé passer le week-end chez son père à
Montfort-l'Amaury. Et Caro a perdu sa journée,
entre son frigo et sa télé, en espérant sans trop
d'espoir que le téléphone allait sonner. Alain, oui.
Manquerait plus que la Grosse Galette le lui fauche
aussi, celui-là. Déjà qu'elle lui en a piqué un ! Il lui a
vaguement laissé entendre qu'il appellerait à la fin
de la semaine, mais elle a été tellement acide, tellement amère au cours de ce premier rendez-vous,
qu'il a dû se raviser.

Si seulement elle avait su que Mamiène était sur le
coup ! Ça, c'est bien les auteurs de roman ! Faut toujours qu'ils mettent leurs personnages dans des
situations pas possibles, histoire de faire rebondir la
leur, d'histoire.

A peine rentré, Éric n'a pas le temps d'enlever son
cartable et de poser son sac, que sa mère se jette sur
lui :

— T'as vu l'heure qu'il est ? C'est pas normal ! Ils te
ramènent de plus en plus tard !

— Mais non, maman, tu sais très bien, on part
toujours à l'heure du film. Et même là, on est parti
avant. Seulement avec les bouchons... Papa avait la
flemme de faire à manger et Mamie-Couette leur a
dit de venir chez elle.

— Alors t'as même pas dîné ? Ça, c'est un peu fort !

Il était entendu que... Moi, ici, j'ai rien prévu. Ils exagèrent tout de même... Qu'est-ce que c'est que ce pull? D'où ça sort, ça?

— Ben, c'est pour quand je vais là-bas. Mamiène aime pas les sweats et j'ai oublié de le remettre, le mien.

— Non, mais je rêve! Mon gosse n'est pas assez bien sapé pour ces m'sieurs-dames et il faut le changer de la tête aux pieds avant de... T'as d'autres fringues là-bas?

— Mais non, écoute, maman, j'ai rien... Rien que des jeans, des pyjamas, un autre blouson et... Tu vas pas te fâcher, dis, c'est pas ma faute...

— Non, bien sûr, mon chéri... N'empêche, c'est quand même un peu raide! Bon, allez, il reste de la mimolette et du jambon. Viens, je vais te... Il y avait d'autres gens?

— Il y a Alain qui est venu, mais il est reparti.

— Quand ça?

— Je sais pas, moi... Pourquoi tu demandes? Qu'est-ce que ça peut te faire?

— Rien. Je disais ça comme ça. Qu'est-ce que tu as? Chaque fois que tu reviens de chez eux, c'est pareil, tu boudes, tu parles pas, tu aboies. Ils te mettent dans un état... Attends! Bouge pas... Je vais répondre... Allô... Oui... Non... Rien de spécial... Mais il est trop tard, là... Oui, peut-être, je ne sais pas... Rappelez-moi à la clinique demain, on verra... C'est ça! Bon, ben, au revoir.

— Qui c'était?

— Alain.

— Encore?

— Ça veut dire quoi, ça : Encore! Il ne téléphone jamais.

— La preuve que si! Et il t'appelle à ton travail et t'arrêtes pas de sortir avec lui et t'as une drôle de voix quand tu lui parles et je l'aime pas, il est nul, ce mec, et si tu vas dîner avec lui, je veux venir aussi!

— Enfin, voyons, mon chéri, il est beaucoup trop vieux pour toi. Tu vas t'ennuyer... Tu n'as jamais que huit ans.

— D'abord, c'est même pas vrai, j'ai huit ans et demi et je veux pas que t'y ailles toute seule.

— Parce que je n'ai pas le droit d'aller dîner avec un copain?

— Alain, c'est pas un copain. C'est ton petit ami. Et il t'aime même pas, il aime mieux Mamiène, Sabrina me l'a dit, et si t'es fâchée, c'est que t'es amoureuse de lui.

— Jamais de la vie! Qu'est-ce que tu vas t'imaginer? J'ai beaucoup aimé ton père... Je l'aime encore... Mais...

— Tu le détestes et tu vas te remarier rien que pour l'embêter et je veux pas, et c'est pas la peine parce qu'ils s'engueulent avec Mamiène et...

— Comment ça! Souvent?

— Non, des fois... Quand elle reste trop longtemps dans la salle de bains, il lui dit...

— Qu'est-ce qu'il lui dit?

— Ben, je sais pas, moi, de se grouiller un peu, quoi! Alors, tu vois, il va revenir.

— Éric, écoute, il ne reviendra pas, il a une nouvelle femme, il...

— Mais ils sont même pas mariés!

— Ça n'empêche pas de vivre et d'être bien ensemble, même si on se dispute de temps en temps. Faut plus que tu croies que ça peut s'arranger entre papa et moi. Tu es assez grand pour...

— Ben, tu vois! Si je suis assez grand, je suis pas trop petit pour sortir avec toi.

Elle ne sait plus où elle en est, là, ma Caro. Partagée entre la colère, le remords et l'espoir. Colère de la sage-femme contre ce snobinard de toubib de crotte, ce caniche frétillant sur les talons d'une maîtresse des beaux quartiers. Remords de la mère qui a l'impression d'enfoncer la tête de son gamin sous l'eau dans l'espoir de se sauver du naufrage.

Un vieux garçon, ce petit garçon. Attaché à ses habitudes, à ses rites, comme la plupart des gosses de son âge. Dotés d'une intransigeante mémoire, ils ne supportent pas qu'on leur change un mot de l'histoire : T'as oublié quelque chose, là, maman, il embrasse ses enfants avant d'aller dans la forêt, le papa ours. Remarquez, plus besoin de se fatiguer à inventer soir après soir les aventures de la fée Sabrina ou d'Éric le galopin. Suffit de leur glisser une cassette sous la couette — Bonne nuit, mon chéri ! Qu'est-ce que je te mets, Blanche-Neige ou Aladin ? — pour être tranquille. C'est moins personnel et ça ne varie pas d'une ligne.

O.K., d'accord, ils ne sont pas tous conservateurs, les gamins. La gauche Choco-BN, libérale, large d'esprit, ouverte au changement dans la discontinuité est particulièrement bien représentée dans les goûters d'enfants : Bonjour, madame... Florian, ta maman est venue te chercher... Ah ! c'est pas ta... C'est la nouvelle femme de ton ancien papa, même que c'est toi qui as découpé le gâteau à leur mariage ? T'en as de la chance, dis donc ! Des anguilles, ces mômes-là, pas des crabes ! Ils se faufilent, au lieu de s'accrocher, entre les mailles de la famille élargie, distendue. La famille des temps modernes.

Vous me direz : C'est du moderne à l'ancienne. On referme la parenthèse victorienne et on en revient à Perrault, à Molière, à la belle-mère épousée en secondes, voire en troisièmes noces par un veuf, votre cher papa, dont la femme, votre pauvre maman, a perdu la vie en vous la donnant. D'accord, c'est la mort — hélas, pas l'amour —, enfin, qui poussait les gens à reconvoler, mais, bon, nos livres d'enfants en sont pleins, pleins de méchantes marâtres qui sèment le Petit Poucet et ses frères en les accusant de manger le pain du ménage. Pleins de pères ou complices ou indifférents aux mauvais traitements infligés à leurs rejetons par ces harpies.

A l'époque, ça fait toute la différence, les héritiers des Drs Freud et Diafoirus ne sévissaient pas encore. Il ne connaissait pas sa chance, le papa de Cendril-

lon. De nos jours, il aurait quatorze conseillers péda-
gogiques et dix-huit assistantes sociales, éducateurs
et psy de tous poils sur le dos! On vous a convoqué
parce qu'elle nous inquiète, votre petite Cendry. Elle
est en très net déficit au niveau du paraître. Et sur le
plan de l'affect... Son fonctionnement psychique est
en danger... Mauvaise qualité relationnelle... Désin-
vestissement affectif manifeste... Impossibilité
d'accéder à un travail de deuil... Absence d'étayage
narcissique... Investissement des objets internalisés
qui n'est tempéré ni par des sources de plaisir de
nature secondaire ni par des contrinvestissements
névrotiques suffisamment efficaces... Images mas-
culines déficientes... Images féminines vécues
comme persécutrices... Bref, faudrait injecter un peu
de libido dans tout ça.

Il serait rentré chez lui en se grattant la tête sous
son bonnet d'âne : J'ai rien compris à ce qu'ils m'ont
dit, à l'école, mais j'ai l'impression qu'elle a besoin
d'un nouveau jean et qu'elles devraient aider à
débarrasser de temps en temps, les tiennes, de filles.

— Ils te vont bien, ces jeans, dis donc, Abi! Ça te
fait de ces jambes...

— Ah! parce que d'habitude elles sont moches,
mes jambes? Trop courtes? Trop grosses? Je suis
basse du cul, quoi, c'est ça, maman?

— Arrête, tu veux, Abigaïl, je n'ai jamais dit ça. Tu
m'as sauté à la gorge avant que j'aie pu finir ma
phrase.

— Ben, alors, dis-le, là, maintenant; elles sont
comment, mes jambes, hein, maman?

— Sublimes!

— Ça veut rien dire, sublimes! C'est un mot passe-
partout. Tu pourrais quand même faire un petit
effort et me...

— Oh, écoute, la barbe, à la fin! Tu me demandes
ça quinze fois par jour. Quand c'est pas les jambes,
c'est les seins, ou les fesses ou... J'arrive plus à four-

nir, moi. Tiens, ça me fait penser, j'ai invité ma sœur et son mec à dîner avec Zecchini la semaine prochaine.

— Je m'en fous, je serai pas là.

— Et où tu seras, on peut savoir?

— Qu'est-ce que ça peut faire? Je te pompe l'air et toi, tu me gonfles, alors vaut mieux qu'on...

— Comment tu peux me parler sur ce ton, Abi? tu oublies qui je suis ou quoi?

— Oh, ça non! T'es une pauvre fille. Une fille mère. Trop nulle pour te trouver un mari. Pas étonnant que je m'inquiète. Plutôt crever que de te ressembler.

— Eh bien, crève! Qu'est-ce que tu attends? Va donc te noyer dans la Seine. Pour peu que tu te débattes un peu, ça te raffermira les cuisses. Et en ramenant ton cadavre, les pompiers tomberont en extase: Elles n'étaient pas si mal que ça, dis donc, les jambes de cette gamine. Appétissantes en diable! La preuve, les poissons en ont bouffé la moitié. Tiens, le téléphone! C'est sûrement Sabrina. Donne-lui donc rendez-vous à la morgue! Je suis en retard, j'ai cours à 9 heures. Au revoir... Pardon, adieu!

Merde, encore un P.-V.! Irène tremble d'énervement en farfouillant dans son sac à la recherche de ses clés de voiture. Qui ça, Irène? Eh bien, la mère d'Abigaïl, la copine de Sabrina. Et, attachez vos ceintures pour ne pas tomber dans un trou d'air, la sœur aînée de Barbie, la copine de Clint. Elle est célibataire, Irène. Elle est prof. Elle est féministe. Et elle est colère: Mon Dieu, faites que je les aie pas oubliées, ces clés! Rien qu'à l'idée de remonter et de me retrouver en face de cette petite garce!

Remarque, elle ne te dira rien, pas un mot. Après ce que tu t'es permis de lui sortir, elle ne risque pas de l'ouvrir de sitôt! Tu vas être punie, ma vieille, et ça va faire bobo! Tu ne supportes pas qu'elle te fasse la gueule? Eh ben, attends un peu! Elle t'en prépare une en béton armé. Tu vas te cogner dessus aux quatre coins de l'appart. Un mur d'hostilité, de rancune, de...

Faut dire, j'ai peut-être tapé un peu fort, là. Je ne sais pas ce qui m'a pris...

Une claque, voilà ce que tu as pris. Elle t'a filé une de ces baffes. T'es trop moche, trop nulle pour te caser ! On croirait entendre ta grand-mère. Remarque, t'as pas mieux réussi avec Barbie. C'est le but de sa vie, à ta conne de sœur. Son seul critère de réussite ! C'était vraiment pas la peine de t'échiner à l'élever unisexe, après la mort de votre mère. En la shootant à l'Y pour compenser les deux XX. Une peluche, deux pistolets. Une dînette, trois voitures de police : Regarde, elles clignotent pour rattraper les méchants bandits, pareil qu'à la télé. Tiens, fais-les marcher... — Non, je veux pas. — Alors joue au cow-boy, je serai l'Indien. — Non... Dis, Irène, tu me donnes une couche pour mon nounours ? Il a fait pipi au lit.

Oui, bon, peut-être. N'empêche, Barbie, si j'avais suivi son droit-fil, c'est pas la panoplie d'infirmière qu'elle m'aurait réclamée, c'est celle de péripatéticienne. Elle savait à peine marcher qu'elle se dandinait en battant des cils devant tout ce qui portait un pantalon. Sa danse du ventre, même les gardiens de square y avaient droit.

Et alors ? C'est pas en la poussant à entamer une grève de la faim à douze ans, pour t'obliger à lui acheter sa première minijupe, au risque de déclencher une anorexie, que tu l'auras rendue moins coquette. Au contraire. Sa féminité, tu l'as exacerbée. Par esprit de contradiction. Abi, pareil. Un enfant, ça ne se corrige pas comme un brouillon qu'il faut remettre au net, figure-toi. C'est écrit, au départ, inscrit dans l'A.D.N., et bon, ça a fini par la marquer, toutes ces ratures. La culture, c'est bien joli, mais la nature...

Oh, je vous en prie ! Épargnez-nous vos théories sur l'inné et l'acquis ! Et n'essayez pas de me culpabiliser, vous aussi. Elles y suffisent largement, croyez-

36

moi. Pas besoin d'un extra pour repasser les plats. Je suis très bien servie, merci !

Il enroule sa femme autour de sa cuiller avec sa fourchette, Alain. Il en a saupoudré ses pâtes à la vongole : une pincée distraite de fromage râpé et un grand coup de moulin à prières... Prière de lui expliquer pourquoi elle lui en veut à ce point, Sylvie, au point de le foutre à la porte du jour au lendemain, de le priver de ses gamins...

— J'ai beau chercher, je comprends pas... D'accord, il m'arrivait de travailler tard le soir et de partir pendant le week-end, mais bon, quand on vit avec un mec qui bosse dans une agence de voyages, on accepte. D'ailleurs, elle acceptait... Sa mère, ses copines, les enfants, le journal, ça la... Et puis, là, tout à coup, cette scène d'une violence... Vous n'imaginez pas. Après six ans d'un bonheur sans...

— Sans nuages ?

Caro, attentive cette fois, lui souffle la fin de sa réplique. C'est pas ça. Surpris, il relève la tête, une belle tête aux cheveux bouclés de blond-gris, maigre, griffée de rides autour des yeux, des yeux qui clignent et s'illuminent quand il sourit :

— Non, je veux dire, sans heurts, sans éclats. Jamais un mot plus haut que l'autre. Jamais un mensonge, une tromperie. C'est... Comment vous dire... Mais, je vous ennuie avec mes histoires... Vraiment ? Enfin, c'est stupéfiant, ce réquisitoire, cette sortie inattendue, brutale : J'en ai marre, j'en peux plus, va-t'en, c'est fini...

— Mais qu'est-ce qu'elle vous reprochait ?

— J'en sais rien, moi, des trucs idiots... Mon désordre, mes mégots... La couette, je la lui pique... La salle d'eau, je l'éclabousse... Je ronfle, ça la réveille... Les courses, j'oublie de prendre la liste et je ne ramène pas ce qu'il faut.

— Enfin, c'est pas possible ! Vous avez deux gosses. Il doit y avoir quelque chose...

— Vous voulez dire quelqu'un? Non. Remarquez, à la limite, je préférerais. Au moins je saurais à quoi m'en tenir... Que là... Ça me mine. Tenez, tout à l'heure à l'agence, je me suis occupé d'un client qui voulait aller passer huit jours au soleil avec ses deux enfants, l'âge des miens, pendant les vacances; divorcé, visiblement. Je me suis retenu pour ne pas lui demander comment c'était arrivé.

— Mais ça arrive à tout le monde, voyons... Un mariage sur trois... Un sur deux dans la région parisienne... Regardez, moi...

— Vous, c'est pas pareil. Vous, c'est normal.

— Normal qu'on me préfère une femme plus belle, plus riche, plus sexy, plus... Je vous remercie!

— Non, non, Caro, c'est pas ce que j'ai voulu dire! Vous êtes super, vraiment... Vous êtes adorable, jolie et... solide et vulnérable et...

— Qu'est-ce que vous en savez? On se voyait très rarement quand j'étais mariée à Roland. Et après, c'est lui, lui et Marie-Hélène que vous avez choisis, pas moi, comme la plupart de nos amis d'ailleurs. C'est terrible, ce sentiment qu'on a, dans ces cas-là, de n'être plus rien. Pour personne. Les hommes, eux, s'en tirent beaucoup mieux. Ils ne perdent ni leurs...

— Ils perdent leurs gosses, oui! Et c'est autrement plus dur que de perdre quelques amis. Moi, j'échangerais volontiers Roland et Mamiène et même Sylvie contre Romain et Justine. Pas vous? Entre Éric et moi, vous...

— Oui... Oui... Forcément...

— C'est ça, bien obligée! Et c'est ça, justement, qui me révolte, ces choix qui n'en sont pas. Qu'on vous impose. Ces vies qu'on jette en l'air et qui se cassent en mille morceaux et qu'il faut refaire. Ne serait-ce que pour les gosses.

— Où vous en êtes, question droit de visite, tout ça...?

— Comme on n'est pas mariés, c'est un peu n'importe quoi. Enfin, j'espère les avoir un week-end sur deux. Pendant les vacances d'hiver. Un mois l'été.

— Ce sera super! Vous allez pouvoir vous organiser des vacances merveilleuses dans un coin...

— J'hésite justement. Mamiène m'a invité, chez elle, dans le Midi, cet été. Avec les enfants. Les leurs. Les miens. Mais, bon...

— Comment ça, les leurs?

— Sabrina et Éric. Il va y passer le mois d'août, non?

— Tout le mois d'août? Et moi, alors?

— Oh! Je vous demande pardon, je...

— Non, c'est moi, je vous prie de m'excuser. Je me sens pas bien... Je vais rentrer.

— Rentrer avec le cafard et me planter là avec mes nouilles? Vous plaisantez ou quoi? O.K., je suis maladroit, ça, elle me le reprochait aussi, Sylvie, mais c'est pas une raison pour me plaquer. Faut pas me faire ça, Caro, jamais! Promis? Allez, reprenez du chianti, on va trinquer.

— Bon... A vous!

— Non... A nous!

Classique, la situation d'Alain. Avant, il y avait des mariages de raison et des adultères d'amour. A présent, on préfère les mariages d'amour et les divorces de raison. La raison qui succède, bien souvent, trop souvent à l'amour. Une raison — fric, situation, enfants, qu'en-dira-t-on — qui n'en est plus une de nos jours. Aucune raison de rester collés ensemble quand ça ne colle plus. Encore moins si ça colle ailleurs.

Quant à l'adultère, c'est d'un démodé! N'empêche, moi, je suis pour. L'adultère tel que je l'entends, la liaison secrète, exigeant des trésors d'imagination, entourée de mille précautions pour le rester, secrète. La plus belle preuve d'amour, à part le fait d'y renoncer évidemment, qu'on puisse donner à monsieur ou à madame le principal. Je suis pour les week-ends buissonniers, les cinq à sept, ou plus souvent les une à trois furtifs. Les dérobades : Oh! là là! t'as vu l'heure? Les reproches : On n'a jamais passé une seule nuit ensemble. Les menaces : Si je ne te vois pas le 31 décembre, pas la peine de m'appeler le 1er janvier. Les mensonges : Ma femme a invité ses parents à fêter leurs noces d'argent. Faut que j'y sois... Mon patron a invité des clients japonais à dîner au Lido. Je rentrerai tard...

A moins d'être absolument décidé à vous barrer, n'avouez jamais, n'humiliez pas, ne torturez pas votre partenaire en l'obligeant à accepter l'inacceptable pour qui aime encore. Pour qui va vous aimer d'autant plus que vous l'aimerez moins : Ce que j'en ai marre de Jean-Luc, tu peux pas savoir ; non, je te jure, il y a vraiment des jours où je me demande si je ne ferais pas mieux d'en finir... Tu peux pas savoir ce qui m'arrive avec Jean-Luc, il a quelqu'un ; qu'est-ce que je vais devenir ? non, je te jure, il y a des nuits où je me demande si je ne ferais pas mieux d'en finir.

Évidemment il y a amour et amour. Il y a l'amour-passion. On ne l'éprouve que pour un seul être au monde. C'est l'amour anthropophage : J'ai faim, j'ai soif de toi. Et l'amour-tendresse. On l'éprouve à des degrés divers pour tous nos proches. C'est l'amour repu : T'as un colloque aux Baléares ? Génial. Tu veux que je te passe mon sac de voyage ? Comment les distinguer ? Simple : la passion interdit de se passer de l'autre ; la tendresse l'autorise. Tout en exigeant qu'on supporte sa peur de manquer, ses longs silences, sa tonitruante passion pour la Formule 1, ses soupirs exaspérés, sa façon de se gratter le ventre, de se maquiller pendant des heures, de vérifier dix fois que le coffre de la bagnole est bien fermé, bref, tous ces défauts, toutes ces manies révélés par l'usure des deux brosses à dents qui se tournent tristement le dos dans le verre sale du quotidien.

Et bon, ça l'agace, Sylvie, ça la déprime, ça la vieillit. A cinquante ans, on peut s'y résigner. Pas à trente. Sa vie, elle la gagne, elle ne va pas la perdre avec un type dont elle n'a plus besoin. Après tout, ils ne sont pas mariés. Pas de serment, pas de contrat, pas de liens autres que ceux qui les liaient. Ils se sont dénoués, la voilà libre. Libre de vivre à sa guise. De s'étaler en travers du lit. De s'endormir devant la télé. De dîner debout devant le frigo d'un bout de fromage et d'un quartier de pomme. De confier les gamins à leur nourrice électronique, à l'heure des dessins animés, le dimanche matin pour se faire les ongles des mains et des pieds.

Les enfants? Ils s'y feront. De toute façon, pour ce qu'ils voyaient leur père! Un nouveau père d'accord. Un père-mère, un virtuose de la tétine à deux vitesses, de la Pampers antifuites, à tête chercheuse, qui laisse les fesses de bébé plus sèches que les chaussettes sèches de l'archiduchesse. Le Pavarotti de la comptine version Women's Lib : Fais-do-do papa-est-en-haut-qui-fait du-gâ-teau-ma-man-est en-bas-qui-fait-du-ta-bac-fais-do-do...

Oui, mais bon, à ses moments perdus, se dit-elle, insouciante. Oui, mais non, à mes moments volés, rumine-t-il, inconsolable. Ce n'est pas, ce n'est plus sa compagne qu'il regrette, qu'il réclame, attention, ce sont ses enfants. Elle, il lui en veut terriblement. Eux, il les veut passionnément.

Et Caro, dans tout ça? C'est quelqu'un non pas à dévorer puis à recracher, c'est quelqu'un à qui se confier, sur qui s'appuyer. Une sœur, une amie, une confidente, une assurance contre la solitude, l'angoisse et l'ennui, une femme à son image, sensible, vulnérable, une femme avec qui contracter, le mot dit bien ce qu'il veut dire, un mariage de raison. La meilleure des raisons, celle qui vient du cœur, et que le corps ignore encore. Ça viendra. Très vite. Très mal. Ils sont encore trop blessés l'un et l'autre pour ne pas se comporter en écorchés vifs l'un envers l'autre.

— T'as vu l'heure, Clint? Allez, viens, on va être en retard chez ma sœur.

— Écoute, Barbie, franchement, ça me pose un problème de conscience, ce dîner. On ne partage pas le pain et le sel avec une gestapiste.

— Une gestapiste, Irène? Où tu vas là?

— Nulle part. Je reste ici. Pas la peine d'être sorti de la dictature du P.C. ancienne manière pour retomber sous le diktat du P.C. new-age. Le politiquement correct, j'en ai rien à foutre. Ras le bol d'être traité d'antiféminisémite primaire par une prof du secondaire, qui prend ses consignes à Moscou... Enfin, je veux dire à Los Angeles.

— C'est ta faute aussi, t'arrêtes pas de la narguer, de l'énerver en lui disant que les Noirs américains ne descendent pas des Égyptiens, que les Juifs sont racistes et que les nanas feraient mieux de...

— Moi? Jamais de la vie! Ma gueule, pas besoin de l'ouvrir, suffit qu'elle la voie pour devenir folle furieuse.

— Écoute, faut la comprendre! Si on t'a surnommé Clint, c'est pas pour rien. Et comme, à ses yeux, Eastwood symbolise tout ce qu'il y a de...

— Elle m'accuse du délit de sale gueule, c'est bien ce que je disais! Non, moi, j'y vais pas.

— Ni moi sans toi. Allez, sois mimi, on peut pas la laisser bouffer seule en tête-à-tête avec ce mec.

— Avec un mec! Un vrai? T'es sûre? Pas un transsexuel? Ça alors!

— Oui, parfaitement, un mec. Et même un ponte. Un prof au Collège de France. Alors, tu vois un peu... En plus, elle a des problèmes avec Abi, là, en ce moment.

— Pas étonnant. C'est un boudin, cette gamine, c'est un tas. Un tas de caleçons et de tee-shirts noirs et crades. Une horreur. Quand je compare à Sabrina!

— Arrête, Clint, tu veux? D'abord, c'est complètement faux. Elle est très mignonne aussi, très bien roulée. Mieux que ta grande bringue de fille. Simplement elle se sent mal dans sa peau. Ensuite, je n'admets pas que tu en parles de cette manière.

— Et toi, tu te gênes peut-être pour en dire pis que pendre question caractère.

— Moi, c'est ma nièce, j'ai le droit. Comment tu réagirais si je traitais Sabrina de...

— De grande bringue, je vous ai entendue, Barbie.

— Tu pourrais quand même frapper avant d'entrer dans ma chambre, Pupuce.

— O.K. Toc, toc. Papa, viens, j'y vais aussi. J'ai appelé Abi. Sa mère lui a demandé pardon. Et elle m'invite à dîner.

— Qui ça, Irène ou Abi ?

— Je sais pas, mais qu'est-ce que ça peut faire ? Je vois pas la différence. Allez, Clint, grouille. Et t'en fais pas. Un garçon qui joue avec une poupée Barbie, elle doit adorer, Irène.

C'est vrai qu'on aurait dit une poupée, Barbara, dite Barbie, tellement elle était jolie, toute petite déjà, avec sa soyeuse cascade de cheveux blond suédois, ses yeux verts, son petit nez de chat. Une enfant de vieux. Sa mère avait plus de quarante ans, son père près de soixante et Irène bientôt dix-huit, quand elle s'est pointée, à l'improviste. Rose, lisse, potelée. Une merveille de bébé. Adorable. Adorée : Donne, maman, je vais la prendre, t'as l'air crevée. Et le biberon de cette nuit, tu t'en occupes pas, c'est moi.

Et le bib du lendemain matin et celui de midi... Très vite, la maman, épuisée, a dû renoncer à les donner... Qu'est-ce que je peux bien avoir, je me sens bizarre, j'ai dû choper une saloperie à l'hôpital. Ça, oui, une vraie saloperie, un cancer du pancréas, qui l'avait obligée à y retourner, à l'hôpital. Un calvaire de trois mois. Son mari complètement détruit. Et sa fille aînée amenée à jouer les chefs. Chef d'une famille monoparentale, déjà oui, après la mort du père. Il s'était dépêché de partir rejoindre sa femme : Attends, chérie, j'arrive ! Irène, prends bien soin de ta petite sœur. Je te la confie.

Avec l'aide, à la fois distante — ils habitaient la

province — et attentive des grands-parents — Allô, Ira, c'est mémé Prune. Tout va bien ? Tu as reçu mon mandat ? On vous attend le week-end prochain. Tu devrais nous laisser la petite, mais bon, je n'insiste pas —, Irène avait tout assumé, la maternelle et la faculté, les vaccinations et les examens, les réunions de parents et les réunions d'étudiants.

Elle s'était bardée de principes et les avait appliqués, imprimés, croyait-elle, sur cette douce, cette tendre pâte à modeler, cet amour de gamine qui se pliait à toutes ses volontés — O.K., je vais au judo, mais tu viendras me chercher, Ira, promis ? — pour mieux lui glisser entre les doigts. Et filer dès l'entrée en sixième dans un collège à Grenoble, où pépé et mémé Prune, un peu perdus dans un grand appartement qu'ils répugnaient à quitter, l'avaient inscrite d'autorité :

— Enfin, Irène, elle sera beaucoup mieux chez nous qu'avec toi, là, maintenant que tu as été nommée au diable Vauvert. On va pouvoir la chouchouter, l'entourer, la gâter, notre petite reine... Mais non, ça ne vous empêchera pas de vous voir très souvent... Eh bien, les ponts, les vacances scolaires. C'est ça l'avantage d'être dans l'enseignement... Elle ? Elle est ravie, tu penses ! Allez, sois raisonnable, ma fille !

Et Irène ne s'était fait une raison, que pour la pire et la meilleure des raisons : un enfant, un autre enfant, Abigaïl. Un enfant bien à elle. Rien qu'à elle. A elle toute seule. Un enfant copie conforme de l'autre. Mais pas en couleurs pastel. En noir et blanc. En dur. En cassant. En raide.

Barbie a grandi. Telle qu'en elle-même. Douce, maniable, souple. Souple au point d'obéir, tout sourire, non plus aux mots d'ordre de son aînée, mais aux ukases des couturiers. Elle se veut mannequin, pardon, top model, ces déesses, ces oracles des temps modernes, ce qui en dit long sur les prouesses culturelles de notre civilisation de l'image ! Elle se voit déjà en couverture de *Vogue*. S'habille de sex-appeal. Et se cherche encore et toujours dans le

44

regard de l'autre : Je te plais, dis ? Pour de vrai ?
L'enfant est devenue femme, la femme est restée
enfant. Une enfant agacée, déstabilisée par la présence, un week-end sur deux, chez... non, pas son
petit ami, Clint a le double de son âge, par la redou-
table présence d'une rivale, sa garce de fille.

Faut dire, elle profite drôlement de la situation,
Sabrina. Ah ! ils ont voulu se séparer, ses parents ?
Grand bien leur fasse ! A elle aussi. Pas question d'y
laisser des plumes. Que Mamiène ait quitté Clint
pour faire un bout de chemin avec Roland, bon,
passe. Un deuxième père, c'est toujours bon à
prendre. Mais que Clint, son amour, sa merveille de
papa, si beau, si séduisant, puisse lui préférer cette
vieille pouf, elle a quoi... au moins vingt-deux ans,
alors ça, non ! Certainement pas. Tout et n'importe
quoi pour le garder bien à elle, rien qu'à elle !

— Tu viens m'aider à tout ranger, Abi ? Je suis crevée. Ah ! non, ce foutoir ! T'as vu un peu dans quel
état vous avez mis la cuisine, toi et ta copine ! Vous
avez mangé par terre ou quoi ? Je m'en souviendrai,
dis donc, de ce dîner ! L'inspecteur Harry n'a pas des-
serré les dents. Zecchini avait un verre dans le nez et
Barbie des ressorts sous les fesses : Laisse, Irène, je
vais aller le chercher, laisse, je vais débarrasser...

— Et toi, pour tout arranger, tu leur as mis ta cassette sur la féminisation des noms. Madame la pro-
fesseuse, madame la mairesse, madame l'écrivaine et
le reste.

— T'écoutes aux portes, maintenant ?

— Pas la peine. Clint y a droit une fois sur deux.
Et la dernière fois, c'était : Vivement le clonage pour
qu'on puisse avoir des enfants sans le concours répu-
gnant d'un monsieur. Tu pourrais pas lui passer
autre chose ? Il doit en avoir drôlement marre.

— Penses-tu ! Ça risquerait de le décevoir. Les
hommes, c'est des grands enfants, ils détestent qu'on
les change d'histoire.

— Qu'est-ce que t'en sais? T'en as jamais connu.

— Et toi, où tu crois que je t'ai trouvée? Sous une ortie?

— Arrête, maman, c'est pas drôle. Moi, j'essaye de te parler sérieusement et toi, tu... Il n'y a rien à faire, on peut pas communiquer.

— Pourtant, avec tes jambes en forme de poteaux télégraphiques, on devrait pouvoir établir une...

— Tu vois, ça recommence.

— Bon, allez, vas-y! Qu'est-ce qu'il y a?

— Il y a que toutes les autres filles en ont depuis longtemps et moi pas.

— S'agirait de savoir! Tu n'en voulais ni cru ni cuit quand t'étais petite.

— Ça, c'est pas mal! Si tu m'avais proposé d'échanger mes baskets contre des chaussures à hauts talons, j'aurais refusé pareil. Maintenant, à mon âge, j'ai quand même le droit d'avoir un... Dire que Sabrina en attend un troisième!

— Déjà! Mais son second, elle l'a eu quand? Il y a à peine deux ans.

— Non, bientôt trois. Et là, elle a pas encore fait le test, mais elle a bien l'impression que...

— Quel test?

— Quand ta mère débarque à la cuisine le matin à jeun, tu lui doubles sa dose quotidienne de propos injurieux sur l'homme qui lui tourne autour. Et si elle vire au vert, c'est qu'elle est prise.

— Ben, dis donc! Avoir déjà trois pères à... Quel âge elle a, Sabrina? Douze ans? Tu crois pas que c'est un peu beaucoup?

— Non, pourquoi? Moi, j'aimerais mieux en avoir plusieurs que pas du tout. Mais avec toi, ça risque pas.

— Ben, va falloir te résigner, ma fille. Je suis trop vieille pour te donner un papa.

Là, elle débloque complètement, Irène. A notre époque, une famille nombreuse, c'est une famille plurielle. Plus besoin de s'offrir des pères sur

46

mesure. On en trouve en solde dans le prêt-à-pater-ner. Et même d'occasion, ils peuvent faire de l'usage.

Pas la peine non plus de fabriquer plusieurs enfants soi-même. Ça coûte cher. Les femmes, ça les fait grossir, les hommes, ça les fait flipper. Et c'est une énorme responsabilité. Pour croître, suffit de multiplier... les partenaires. S'agit pas tellement d'en avoir plusieurs en même temps, en cachette, en back-street, mais plutôt plusieurs à la suite. A la colle ou officiels. Et déjà dotés de rejetons qu'on adopte ou qu'on rejette, c'est selon.

Mais, ça, Irène, très peu pour elle! Question mou-flets, elle a déjà donné. Et question mecs, elle a défi-nitivement fermé boutique. C'est pas qu'elle soit pour femmes, enfin, si, sur le papier, pas sous la couette, simplement les hommes ne la branchent pas. La petite graine refilée par un copain de fac maladroit, elle l'a avalée en se bouchant le nez. Ce que ça peut être dégueulasse! A vomir. Ce qu'elle a fait. Pendant six mois. Comme pour recracher tout ce qui avait accompagné le seul spermato dont elle avait besoin. Le reste, très peu pour moi!

C'est dimanche. Roland est en cuisine. Ravissante, la cuisine, rue de Grenelle. Dans les tons de bois, de gris et de blanc. D'un goût exquis. Mais, bon, difficile d'accès, assez loin du centre et très mal indiquée. Faut prendre le couloir de droite à la sortie Toilettes-des-Invités. Tourner à gauche après la buanderie et ensuite... Bref, c'est un trajet tellement compliqué que, depuis la fin des travaux — Venez, Marie-Hélène, je vous emmène voir la cuisine... Non, non, n'ayez pas peur, vous ne serez pas en retard chez le coiffeur, il y en a pour dix minutes à peine —, Mamiène n'y a pratiquement pas mis les pieds.

Elle appelle Tonette quatorze fois par jour sur la ligne intérieure :

— Est-ce que tu peux faire un saut ? Je suis dans mon dressing et j'arrive pas à me décider entre mon ensemble fuchsia, le Dior, oui, mon costume-pantalon, tu sais le marron glacé de chez... Qu'est-ce que tu as prévu pour ce soir? Une caponata? Tu sais bien que j'ai horreur de ça! En plus, c'est plein d'huile, ça fait grossir... Déjà que je peux plus boutonner ma jupe écossaise... Tiens, à propos, est-ce que t'aurais pas vu le chemisier qui va avec?... Tu sais, le blanc à jabot... Dans la lingerie, tu crois? Sois mignonne, prends un taxi et amène-le-moi...

Et pendant les week-ends rue de Grenelle ou à Montfort-l'Amaury, quand Tonette n'est pas là — oui, elle a beau adorer sa patronne, il lui arrive de ne pas travailler le dimanche —, Roland en profite pour se mettre au piano. Terme de chef. C'en est un. Un artiste de la baise et de la bouffe. Le genre de mec à se laisser coincer dans un embouteillage pour arrêter dans le détail le scénario de sa nuit avec Mamiène ou pour composer le menu d'un déjeuner entre copains dimanche prochain... A une différence près : l'amour le soulève et la cuisine le déprime. En pyjaveste, il est radieux. En tablier, il est odieux.

Vous me direz : Bizarre! Pourquoi avoir épousé ce farfadet, ce petit lutin de Caro, s'il est tellement porté sur la chose du machin? Simple : il ne l'était pas à l'époque. Elle est restée longtemps en période de latence, sa libido. Le feu sous la cendre. Il aurait suffi d'une étincelle pour que ça prenne, pour que ça flambe, mais bon, là, calme plat. Il n'avait pas de créneau pour ça. Trop préoccupé par sa carrière, sa clientèle, sa réputation. Avec Caro, il a trouvé exactement ce qu'il lui fallait, une présence légère, dévouée, une compagne dure à la peine, les doigts de pied en éventail devant le futur magicien du bistouri, capable d'effacer un bec-de-lièvre, de remodeler une gueule cassée dans un accident de bagnole ou de draper une seconde peau sur un grand brûlé. Comment imaginer qu'il allait s'abaisser à rapiécer des paupières en visière de casquette, ou des mamelles en oreilles de cocker?

Ça va faire deux jours qu'il y est, en cuisine. Et

Mamiène commence à trouver le temps long. Les enfants sont allés au cinéma avec Mamie-Couette, qu'on va garder à dîner quand elle les ramènera. Histoire de mettre du liant. Ah! oui, parce que j'ai oublié de vous dire, s'agit du fameux repas tribal, Caro y sera, destiné à se prouver qu'entre gens civilisés on divorce à l'amicale. Sans cris et sans larmes.

Elle a beau le sonner, Roland ne répond pas au téléphone, alors avant de s'habiller, elle a tout le temps, il n'est jamais que 5 heures de l'après-midi, Mamiène décide de lui rendre visite, comme ça, à l'improviste.

Elle arrive sans trop d'encombre, un peu énervée quand même, elle s'est trompée deux fois de porte avant de frapper à la bonne. Oui, parce qu'il s'est enfermé dans la cuisine justement pour pas être dérangé.

— Qu'est-ce que c'est? Ah, non! Non, j'ouvre pas. Tu vas me souffler dans le cou, m'emmerder: Tu mets trop de beurre, trop de sel...

— Non, promis-juré, je dirai rien, laisse-moi entrer, chéri, je t'en supplie, je m'ennuie de toi... Oh! là là! T'as foutu un de ces bordels, c'est Tonette qui va être contente demain! Pourquoi t'épluches des oranges? C'est une daube ou une compote?

— Lâche-moi, tu veux, Mamiène. Et dégage, tu gênes... Bon, mais je te préviens, si tu bouges de ce tabouret, tu vas te retrouver sur le canapé du salon avec un grand coup de pied dans le...

— Regarde ce que tu m'as fait! T'as écaillé mon vernis à ongles!

— N'importe quoi!

— Si, parfaitement. Tu m'as obligée à me hisser sur ce truc, résultat, ma mule est tombée et... Tiens, suce mon pauvre doigt de pied tout amoché, tout... Allez, sois gentil, tu me l'as jamais fait, ça. Et c'est très mode là, maintenant que la duchesse d'York, tu sais, Fergie...

— Arrête, Mamiène, tu veux? C'est vraiment pas le moment! T'as pensé au dîner des enfants? parce que eux, la daube, tu sais...

— Oui, j'ai dit à Tonette de prévoir des nouilles et des croquettes de poisson...

— Oui, ben, il n'y en a pas.

— Elle a dû oublier.

— Dis plutôt que c'est toi.

— Et pourquoi ce serait à moi de penser à...? Après tout, c'est pour Éric, ta femme et toi qu'on le donne, ce dîner.

— Je regrette, je n'en voulais ni cru ni cuit, moi, de ce...

— Enfin, tu étais entièrement d'accord quand la psy a dit...

— La psy-a-dit, la-psy-a-dit, j'en ai marre d'entendre ça à longueur de journée, vous ne pourriez pas changer de disque, Caro et toi? Putain, je vais finir par en avoir besoin, moi, de cette débile. Non, parce que je deviens fou là...

— Allez, calme-toi et viens m'embrasser. Manquerait plus que tu me fasses la gueule devant ta femme. Ça aurait l'air de quoi? Je veux qu'elle voie que t'es raide dingue de moi. A quoi ça rime tout ce cirque, si ça n'est pas pour lui mettre le nez dans son caca?

— Moi, je n'y compterais pas trop à ta place. C'est une coriace, Caro, sous ses airs de ne pas en avoir l'air.

Il ne croit pas si bien dire. A l'heure du dîner, on sonne à la porte. Mamiène va ouvrir, cheveux noirs aux épaules sur tailleur Chanel rose, bracelets, chaînes, boucles d'oreilles... Appelez-moi Coco!

— Éric, tu viens, c'est sûrement ta maman... Comment allez...?

De surprise, le « vous » lui reste dans la gorge. Caro se déverse sur la moquette blanche de l'entrée comme une poubelle dans une benne. Un tas de vieux chiffons. Paletot crade en velours frappé. Pantalon hypermoulant déchiré de partout. Énormes godillots à la Charlot. Trois bagues en toc à chaque doigt. Coiffure hérisson vert pomme.

Éric la regarde... Crucifié. Cloué sur place. Pétrifié

de honte. La honte d'avoir honte de sa mère. C'est la première fois. Ce ne sera pas la dernière. Il suffit de peu de chose. Papa qui débarque en maillot de bain sur la plage devant les petits copains médusés : il est poilu comme un singe. Maman qui vous parle bébé devant les filles le jour de la rentrée des classes : Hein, qu'il a pas peur mon gros lapin ! Il va bien s'amuser à l'école, pas, mon choupinet à moi...! Rien que d'y repenser, des années plus tard, on pique encore un fard.

Regardez-le, il est tout rouge à la figure, Éric. Il ne va pas pleurer quand même ! Non, c'est Caro. A le voir si désemparé, les larmes lui montent aux yeux. De rage et de pitié. Elle n'avait pas le droit de lui faire ça... C'était idiot... Une provoc inutile... Enfin, non... Sûr que si elle s'était pointée habillée sage, modeste, les yeux baissés, une pâle violette, cette garce de Galette l'aurait piétinée. N'empêche, pauvre petit bonhomme... Elle tend d'instinct les bras vers lui. Et c'est Sabrina qui accourt et l'embrasse, pleine de malice complice :

— Bonjour ! Moi, c'est Sabrina... Ce que c'est joli ! C'est quoi ? C'est de la panne ? Elles portent que ça, mes copines. Roland vous a préparé une daube, paraît que vous aimez.

Et Mamie-Couette :

— Éric, va donc dire à papa que maman est là... Eh bien, Mamiène, si tu nous servais à boire au lieu de rester plantée là comme un mannequin dans une vitrine.

Papa a dit que c'était prêt. Faut passer à table. D'un luxe inouï, la table ! Caro en reste bouche bée. Nappe damassée, serviettes en bonnet d'évêque, vaisselle de porcelaine, verres de cristal, couverts en argent, fleurs, bougies... Et voilà Roland qui débarque, pas rasé, débraillé, il a gardé son tablier, avec une marmite en fonte dégueulasse et une louche en alu.

— Attention, c'est brûlant... Débarrassez-moi tout ça! Non, mais où tu te crois, là, Mamiène? A Buckingham? Asseyez-vous et passez-moi vos assiettes que je vous serve.

— On n'est pas plus aimable! J'ai voulu recevoir ta... la maman d'Éric dans un joli cadre, c'est tout. Maintenant, si t'es pas content.... Bon, alors comment on se met...? Maman à la droite de Roland, Caro... Vous permettez que je vous appelle par votre prénom... à sa gauche, les enfants là, et moi...

Moi, j'en ai marre, ras le bol! Non, c'est vrai, je me mets en quatre et il a le culot de me faire des remarques devant cette folingue... Ça rime à quoi, ces fringues? Et lui, ce vieux survet... Il aurait quand même pu faire l'effort de... Si c'est ça qu'ils veulent, me narguer, me ridiculiser, c'est gagné! Agréable de se retrouver en tenue de ville dans un bal masqué! Si seulement je pouvais aller me changer sans que ça se remarque... Un jean, voilà ce que j'aurais dû mettre. Avec un pull-chaussette... Ah! et puis, tiens, j'en veux pas de sa daube. Elle est nulle. La viande est dure, il y a trop de carottes... Il sait très bien que je déteste, mais il s'en fout... Il fait exprès de...

— Qu'est-ce qu'il y a encore qui ne va pas, Mamiène? Elle te plaît pas, ma daube? Ça fait trois jours que je transpire à mes fourneaux et il y en a pas une pour me dire si c'est bon... Ah! quand même! Merci Mamie, merci Caro. C'est une recette de ma mère. La bonne cuisine bourgeoise, il n'y a que ça de vrai... Tiens, à propos, c'est quoi comme look, ma grande? Grunge ou punk?... Où t'as déniché ça? Aux Puces?... Les trous, c'est livré avec?... Remarque, faut être drôlement bien foutue pour porter des trucs pareils... Et ça ne te va pas mal, tu sais, pas mal du tout. Elle fait carrément ado, là, pas vrai, Mamiène?

Ça ne lui ressemble pas, au Snobinard. Il aurait dû pousser des hurlements... C'est peut-être pour agacer la Galette... Elle est drôlement belle, il n'y a rien à dire... Limite, question poids... Ça va s'élargir et se relâcher tout ça, pareil que la mère... Elle doit faire vachement gaffe.... D'ailleurs elle ne touche pas aux carottes. Rapport au sucre... Maintenant que j'ai remisé mes trous sous la table, je me sens nettement mieux... Je pourrais peut-être en profiter pour enlever mes bagues... Non, ça se verrait... Dire que je suis là pour Riquet et qu'il m'ignore totalement. Gentille, la petite... Tiens, elle se lève...

— Bon, ben, bonjour l'ambiance ! De toute façon, nous, la daube... Tu viens, Éric ? On va finir les cacahuètes et les chips au salon. Il y a un film sur Canal Plus. On reviendra pour le dessert. C'est quoi ? Une salade de fruits ! C'est vraiment la fête ! Allez, grouille, Éric, on va rater les Guignols.

Et Mamie-Couette :

— Si c'est ça que vous voulez regarder, mes loupiots, autant rester à table.

Elles sont copines de classe, Abi et Sabrina. Quand Mamiène a su, via Clint, qu'Irène, un prof de lycée, mettait sa fille à l'École alsacienne — C'est ce qu'il y a de mieux, tu es sûr ? —, elle n'a eu de cesse que sa gamine y aille aussi. Visite au proviseur : Ma petite Sabrina va se présenter à l'examen d'entrée en sixième. Je vous demande d'être indulgent. Nous sommes séparés, son père et moi, elle en souffre terriblement et...

Et le soir après dîner :

— J'ai vu le proviseur, il a eu l'air très séduit. Sauf que des enfants de divorcés, les cours de récré en sont pleines, là, maintenant, alors faudrait peut-être réviser un peu, ma chérie, O.K... ? Si tu commençais tout de suite, ça t'occuperait. Dis, Roland, il y a une nouvelle boîte où tout le monde va avant d'aller en boîte, j'ai vu ça dans *Biba*, on y fait un saut ! Rien que pour voir, chéri... Quoi, demain, Sabrina ? Abi vient coucher ici ? Ça tombe bien, nous, on va dîner chez les Fourneron. Tu viens, Roland ? Allez, ma puce, bon courage, on rentrera pas tard, promis.

Et le lendemain soir :

— Sabrina, tu dors? Si on faisait tanière? Allez, viens dans mon lit... C'est mieux pour se dire des trucs.

— Oui, je dors. Et toi aussi. Et non, on fait pas tanière. Arrête avec ça, Abi, tu fais vraiment chier. Un père, t'en as forcément un.

— Sauf que j'en ai pas. Que toi, tu...

— Quoi, moi? J'en ai jamais que deux, c'est pas des masses.

— Tu m'avais dit bientôt trois.

— Oui, mais je suis pas sûre... J'en ai déjà perdu un... Non, avant que je te connaisse... Et puis, j'ai l'impression que ce qu'elle veut, ma mère, en ce moment, c'est pas tellement un troisième homme, c'est un deuxième enfant. Elle s'achète des grands pulls, elle me demande si ça ne lui irait pas mieux que ses petits tailleurs ajustés. Et avant, dans la rue, elle regardait les vitrines... Remarque, ça, elle le fait encore, mais là, elle regarde aussi les poussettes. L'autre jour, elle m'a même dit : C'est fou ce que ça me fait envie, un bébé, pas toi? Ce serait mignon, non?

— Ben, justement, elle aurait pu avec ce type-là... Comment il s'appelle déjà...? Alain.

— Non, des gamins, il en a déjà. En plus, Éric m'a dit que sa mère était amoureuse de lui. Faudra qu'elle en fasse un avec Roland.

— Tu crois qu'il va réagir comment, Éric?

— Alors, là, je sais pas. Déjà qu'il est perturbé, si en plus sa mère a un homme et son père un enfant...

— Dis donc, ta mère, ça risque de l'attacher à Roland, un bébé, non?

— Quelle drôle d'idée! T'as déjà vu des gens qui restent ensemble à cause des enfants, toi? Remarque, tu peux pas savoir, vu que chez toi la question s'est jamais posée. Mais la plupart du temps c'est le contraire, ils se quittent parce qu'ils s'engueulent et s'ils s'engueulent, c'est à cause de nous, alors...

— Alors, ça me fait penser, suffirait que Barbie ait un bébé avec Clint pour qu'ils se séparent et t'en serais débarrassée.

C'est vrai ? Ils sortent ensemble, Caro et Alain ? Oui, le plus souvent possible. Il leur arrive même de rentrer ensemble. Uniquement pendant les week-ends sans boulot pour Caro. Sans enfants pour l'un et l'autre. Encore faut-il qu'ils coïncident. Et Sylvie est tellement imprévisible — Allô, c'est moi. Tu peux me les prendre vendredi ? Je dois aller en reportage... Allô, c'est moi, finalement, je les envoie chez ma mère, je serai plus tranquille — qu'ils trébuchent, qu'ils culbutent de rendez-vous décommandés en rencontres improvisées.

Caro, ça l'exaspère, elle a l'impression d'être baladée par l'Autre. Alain, ça l'humilie, il a l'impression de servir de consigne à bagages. Éric, ça le panique, il a l'impression d'être en surcharge.

— Bon, ben, au revoir, mon chéri, amuse-toi bien chez papa. A dimanche soir... Comment ça, tôt, dimanche matin ?

— Oui, Sabrina va chez Clint et Mamiène veut en profiter pour aller à... Je sais plus comment ça s'appelle... une gardienne partie, un truc comme ça. Alors on va pas à Montfort-l'Amaury. Alors ils me ramènent très tôt. Alors après, on va au MacDo, tous les deux, d'accord ?

— Non... Enfin, si, bien sûr, mais...

— Ça t'embête ?

— Non, mon petit bonhomme, non... Simplement ton père aurait quand même pu... Allez, file, tu vas être en retard à l'école. Pour dimanche, t'inquiète pas, je vais appeler papa et...

— Mais c'est pas la peine, puisque tout est décidé.

— Oui, par eux !

— Et t'es fâchée ? Tu veux pas que je revienne, c'est ça ? Bon, très bien, j'y vais, chez papa. Et je vais lui dire que je peux pas rentrer ici.

— Allô, Alain, c'est Caro, écoute, c'est toujours O.K. pour sortir samedi soir, mais pour rentrer, vaut mieux que ce soit chez toi... Éric, ils me le renvoient... Ah! de ton côté, tu sais toujours pas si... Tu crois pas que ça commence à bien faire?... Il y en a vraiment marre. Bon, allez, on annule tout, je préfère, et on se rappelle un de ces quatre... Tchao!

— Allô, Caro! C'est moi. Comment, qui moi? Roland, qui veux-tu que ce soit? Le petit est hors de lui. Qu'est-ce que tu lui as encore fait? Il veut pas me le dire... Oui, bon, Alain, et après...? Enfin, c'est pas sérieux, tout de même, avec lui? Tu vas pas t'amuser à... Éric est déjà assez perturbé... Moi? Moi, je t'ai conseillé de refaire ta vie?... Arrête, c'est parti comme ça, au cours d'une scène. Au lieu de me prendre la tête, tu ferais mieux de prendre un... Bon, bon, tu fais ce que tu veux, mais à ce moment-là, moi, je demande la garde, je te préviens... Sors d'ici, Éric, sois gentil... Sors, je te dis! Tu vois pas que je m'engueule avec ta mère? Tu vas m'obéir, oui? C'est très mauvais pour les enfants, les disputes entre les parents. Allez, ouste, dégage... Bon, où j'en étais?... Ah, oui! Si tu refais ta... Je vais me gêner!... Il sera bien mieux ici avec nous qu'... Mais, je m'en fous, Caro, de ce qu'elle dit, cette conne de psy... Écoute, je la remercierais du conseil s'il ne me coûtait pas cinq cents balles la séance... Qui, moi? Aller chez Mme Refoule deux fois par semaine à la place d'Éric?... Non, mais je rêve! Toi, ça oui, là, je comprends, t'es complètement givrée. Tiens, pendant que tu y es, tu devrais y emmener ce pauvre Alain. Avec toi, plus Sylvie, plus ses deux gamins, moins Éric, il va en avoir besoin!

— Qu'est-ce que tu as, Éric? Qu'est-ce qu'il t'a dit, papa, mon petit lapin? Viens raconter ça à Mamiène, viens, mon chéri... C'est quoi, ce gros chagrin? Tu veux que je demande à Tonette de te faire un hamburger et des frites ce soir à dîner? Non... Le MacDo demain... Mais tu sais bien qu'on va... Avec ta maman? Ben, où est le problème alors? Comment ça, elle veut pas? Bien sûr que si, t'as mal compris... Même que ton papa s'est fâché contre elle? Mais, c'était sûrement pas à cause de ça. Il n'arrête pas de se fâcher pour tout, contre tout le monde, tu sais bien. Ça ne l'empêche pas de nous aimer. Mais oui, ta maman aussi. Sûrement... Tiens, je l'entends qui sort de son bureau. Tu vois, ils ont fini de se chamailler. Si tu lui téléphonais à ta mère?... Non, tu veux pas? Tu veux quoi, alors? Rien? Ça tombe bien, parce que je ne sais vraiment plus quoi... Dis donc, Roland, tu pourrais quand même t'occuper un peu de ton fils au lieu de... Moi, je ne sais pas par quel bout le prendre. Allez, Éric, va voir papa. Et mouche ton nez. Non, pas sur la manche de mon déshabillé! T'es fou ou quoi? Tonette! Regarde ce qu'il m'a fait, tu crois que ça va partir? Ah, le cochon!

— Maman, t'as Barbie au téléphone, reste pas trop longtemps, Sabrina doit me...

— Tu permets que je la prenne quand même? Merci, t'es vraiment sympa... Comment ça va, ma chérie? Ça fait une heure que tu essaies de...? Oui, je sais, c'est comme si je n'avais pas le téléphone. D'ici, impossible d'accéder à l'extérieur. Et de l'extérieur, impossible d'accéder ici. C'est toujours occupé. Ça m'énerve, je peux pas te dire. Remarque, quand t'habitais ici, c'était pareil... Si, absolument, t'as oublié... Alors, qu'est-ce que tu racontes? Tu es allée voir la fille à qui je t'ai recommandée chez Hachette?... Mais si, au service de presse... Écoute, Barbie, je veux bien que tu t'ennuies à la fac et que tu t'amuses à poser pour ce mec... Oui, bon, je retire, c'est pas un mec, mille fois d'accord, pour cet inspecteur Harry en solde... Pour Clint, O.K. Mais c'est pas sérieux.... Écoute, chérie, si tu étais Claudia Schiffer ou la nouvelle Twiggy, ça se saurait!... Ces filles-là ont été repérées par des agences très tôt. Là, maintenant elles ont ton âge et on les voit sur toutes les couvertures de magazines. Normal, d'ailleurs, elles sont vraiment... Rien! J'insinue rien du tout. Qu'est-ce que tu vas chercher? Simplement, t'es peut-être pas assez grande, pas assez... Non, pas mince, oh! là! là! Qu'est-ce que je n'ai pas dit là! Déjà que tu ne te nourris que de cigarettes et de café au lait sans sucre... Voyons, Barbie, c'est pas parce qu'il est photographe à *Vogue* que tu réussiras à... Ah, bon! Il t'a décroché une séance de... Pour qui? Le catalogue des Trois Suisses? Page 378? Les tenues de plongée? Avec le masque, les palmes et... Formidable! Il ne te reste plus qu'à poser en combinaison de ski avec le casque et les bâtons dans celui de la Redoute pour devenir célèbre!... Voyons, chérie, combien de fois faudra-t-il te le répéter, c'est pas un métier... Dans le meilleur des cas, au bout de dix ans, terminé. Si tu t'obstines, tu vas te retrouver sans... Avec quoi?... Un enfant?... Oh! non, ça ne va pas recommencer! Mais qu'est-ce que j'ai fait au bon Dieu pour être obligée de me coltiner deux petites accros au livret de famille. Deux toxicos, toujours en manque, qui se roulent par terre en hurlant : Je veux ma dose de papa, ma dose de bébé. Moi, je ne vois qu'une solution. Faire d'une pierre deux coups. Tu épouses Clint et vous adoptez Abi... Je vous la donne. Ce sera mon cadeau de mariage. Non, non, ne me remercie pas, c'est de bon cœur... Trop vieille? A onze ans! Penses-tu! De nos jours, l'enfant, ça reste bébé très longtemps.

Eh oui, de nos jours, on veut un bébé, pas un enfant. Une merveille de bébé sorti d'une pub à la télé... Papier Lotus, shampooing doux, couche Câline... Un beau baigneur si joli, si mignon, si potelé qu'on lui lécherait les fesses pour les nettoyer : C'est pas à croquer, ça? Et ça sourit. Et ça gigote. Et elle va te manger, ta maman, hein, espèce de petit galopin...

On se voit en pantalon-tunique ou en robe de grossesse, les mains posées sur le ventre, façon madone... Jeune et radieuse accouchée donnant le sein devant un parterre de parents en extase... Penchée sur la table à langer ou le berceau, entourée de peluches et de hochets... Poussant un landau dans les rues de son quartier... La canne-poussette, on la voit aussi. Très bien. Et même le tricycle. Arrive le vélo, on a déjà du mal à accommoder. Alors, je ne vous raconte pas la moto, le bac ou le joint.

Elle a raison. Irène. L'avantage et l'ennui, avec le bébé, c'est qu'il le reste jusqu'à l'âge de se laisser pousser la barbe et bien au-delà à présent. Ado, post-ado, jeune adulte qui traîne son ennui au lycée après avoir tiré sa flemme au collège et qui rédige lui-même ses mots d'excuse, normal, il est majeur, quand il a envie de sécher la classe.

Vous me direz Alexandre le Grand n'a pas demandé la permission de sa maman pour conquérir un empire. Et Anne d'Autriche n'a pas pris son petit Roi-Soleil par la main pour le conduire jusqu'au trône. Pourtant ils n'avaient que seize et quatorze ans respectivement. Les Anciens retiraient leurs veaux de sous la mère à sept ans. Nos ancêtres les envoyaient paître à la campagne, accrochés aux mamelles de nourrices négligentes et négligées, avant de confier ceux qui en réchappaient à des familles amies ou alliées, histoire de leur apprendre un métier.

Nous, on se les garde, c'est précieux, on en a si peu, jusqu'à ce qu'ils puissent tenir debout tout seuls. De plus en plus tard à une époque où l'enfance, prolongée par l'espérance de vie et la désespérance du chômage, ne cesse qu'au bout d'un quart de siècle et souvent davantage...

Caro n'y comprend rien, il a un chardon dans sa culotte, son gamin. A l'école, ça ne s'arrange pas : inattention, instabilité, infantilisme marqué. A la maison, pareil : il répond mal, il boude, il multiplie les caprices. Il refuse tout ce qu'elle lui propose. Même le MacDo.

Bizarre. Qu'est-ce qu'il lui reproche ? Le coup d'arriver chez Mamiène déguisée craignos, c'est de l'histoire ancienne. Ils n'en ont jamais parlé, mais il s'est encore raidi, renfrogné depuis. Non, il doit y avoir autre chose. Ça la turlupine, Caro, ça la met mal à l'aise... Faudra qu'elle aille en parler à la psy quand elle aura le temps.

Là, elle est débordée. Ses femmes, comme disent les sages-femmes en parlant de leurs parturientes — Caro, tu te dépêches ! Ta femme est à complète — ses femmes semblent s'être donné le mot pour lui cracher leurs gosses au nez, toutes en même temps : Poussez ! Ne poussez plus ! Il va pas tarder, M. Mallet, oui, on l'a prévenu. Empêchez votre bébé de sortir, il serait vexé de ne pas le trouver en arrivant. Voyez qu'il soit venu pour rien ! Il habite pas loin, d'accord, mais bon, il avait un bridge hier soir, il s'est couché tard, et il s'est rendormi après mon premier coup de fil... Faut dire, être réveillé à 8 heures du matin, c'est dur !

Et Christine, sa collègue, sa copine, une croyante, pour ne pas dire une bigote, elle fait le signe de croix chaque fois qu'elle prononce le nom de la déesse Dolto, qui élève sa petite Delphine de quatre ans selon les préceptes de la Sainte Église. Et Christine, rencontrée dans un couloir :

— Je ne sais pas ce qu'elles ont aujourd'hui, mes femmes, elles sont infernales. T'entends ces hurlements ? Elle me casse les oreilles, ma beurette, tu sais, la petite primipare cramponnée à son foulard, que t'as examinée ce matin, là, elle n'en est jamais qu'à deux centimètres, mais tu la croirais à... J'en peux plus, moi, j'ai la tête en compote. Tu viens prendre un café à la machine ? Ça nous fera du bien... Avec ou sans sucre ?

— Sans. Tiens, tu pourrais peut-être m'expliquer, toi, Chri-Chri, je sais pas ce qu'il a, mon gamin, il dit non à tout... Non! Non! Non! Il n'a plus que ce mot-là à la bouche. A deux ans, c'est normal. Pas à huit, si?

— Il te fait un retour au stade anal. Et bon, ça sent le complexe de castration à plein nez.

— Comment ça? Mais c'est un garçon, pas une fille, il en a un, de zizi, il peut pas...

— Oh, que si! Il t'a fait un anal sans trop de problèmes, un phallique normal. Enfin, à peu près, hein! La normalité, elle ne sait pas ce que c'est, Dolto. Et là, tu débouches en plein Œdipe. Il va falloir t'accrocher, ma vieille! Surtout ne pas alimenter son angoisse en le privant de quoi que ce soit. Jamais une remarque, jamais une exigence, Jamais un mot plus haut que l'autre, jamais...

— Tu sais, c'est déjà le cas. Mais, moi, ton Œdipe, j'y crois pas trop. S'il était amoureux de moi, ça se saurait. Il aurait des petites attentions, il me ferait des câlins...

— Enfin, Caro, c'est complètement refoulé, voyons. Surtout maintenant que tu sors avec Alain, sa fixation érotique sur toi doit se doubler d'un besoin de satisfactions homosexuelles d'ordre passif avec lui.

— Ça veut dire quoi, ça? Qu'il veut se faire enculer par Alain, Éric?

— Inconsciemment, oui. *Psychanalyse et pédiatrie*, page 89.

Ce soir-là, un vendredi, Éric est parti, il va à Montfort-l'Amaury, et Caro — elle se passe de plus en plus difficilement d'Alain — en profite pour faire la dînette chez lui. Enfin, pas vraiment chez lui. Pas du tout, même! Chez un copain envoyé par sa boîte pour six mois aux États-Unis. Il rentre ces jours-ci. Et Alain qui campait dans ce studio, sans vraiment chercher à se reloger, dans l'espoir sans espoir que ça s'arrangerait avec Sylvie, est pris de court.

Là, c'est lui qui a fait les courses.

— J'ai pris du saucisson, des harengs à la crème,

du gorgonzola, des crevettes, un avocat, non, pas de pain suédois, il en reste... On va pique-niquer devant la cheminée. Attends que je fasse un feu, mon cœur.

— Écoute, Alain, il faut que je te parle. Tu sais, Éric, ça va pas. Il est amoureux de toi et...

— De moi? Mais non, idiote, de toi, tous les petits garçons en pincent pour leur mère, c'est bien connu. Et les filles pour... Tu verrais Justine : Tu m'aimes, dis, papa, tu te marieras avec moi quand je serai grande, hein, promis?

— Oui, mais ça n'empêche pas Éric de faire une fixation sur toi et d'une façon très précise. D'après Chri-Chri, il rêve de se faire...

— Se quoi faire?

— J'ose pas te le dire, c'est trop dégoûtant. Si je m'imaginais! On croirait pas à le voir comme ça, il est tellement mignon, tellement beau, tellement... Remarque, un homo, ça a des avantages, ça ne se marie pas, ça reste attaché à sa mère et...

— Un homo, Éric! Non, mais elle est complètement ravagée, ta copine!

— N'empêche... Comment on va faire? Faut absolument que j'aille voir la psy, je vais prendre rendez-vous demain. En attendant, vaut peut-être mieux que tu ne viennes pas à la maison.

— Ça tombe mal parce que je me proposais d'y faire un squat. Le temps de me retourner, de trouver quelque chose d'assez grand pour moi et les enfants. Pas trop loin de son école, à Justine, dès fois que leur garce de mère accepte la garde alternée...

— Tu parles sérieusement? Ce que ce serait chouette! Tu pourrais t'installer dans le bureau de Roland. Tu te rends compte un peu, passer toutes les nuits ensemble, se réveiller le matin dans les bras l'un de l'autre, prendre le petit déjeuner en...

— En satisfaisant les demandes d'Éric : Maman, j'ai envie de Choco-Pops et d'Alain. Tu me les sers?

— Qu'est-ce que t'en ferais, là, d'Alain, mon chéri, faut que t'ailles à l'école. — Je me l'envoie en vitesse et pendant ce temps-là, tu me fais un mot d'excuse

en disant que j'aurai un quart d'heure de retard...
Allez, grouille, Alain, embrasse-moi dans le cou..
Mieux que ça!

Ça y est, ça recommence : les enfants vont être en
vacances. A peine sont-ils rentrés qu'ils repartent. Ils
ont droit à quinze jours toutes les six semaines, six
semaines à se demander ce qu'on va bien pouvoir en
faire pendant quinze jours. Quand ce n'est pas deux
mois l'été. Dans les familles élargies à quatre ou cinq
grand-mères par enfant, le problème n'est pas de
savoir à qui on va le confier, mais à qui on va le refuser. Au risque de provoquer des drames.
   Du côté de Caro, gros problème : elle n'a plus que
sa mère, Nanou, veuve de bonne heure — la petite
commençait seulement à marcher — d'un marin, un
Breton, un pays. Ils étaient ensemble à la maternelle.
Ils s'étaient promis l'un à l'autre un jour qu'elle
effeuillait la marguerite en revenant de la communale : A qui tu penses? — Ben à toi, Yann... A qui
veux-tu? Yann et Nanou. Un grand beau garçon et
une jolie petite fille. Yann, c'était son soleil à Nanou,
sa merveille. Elle ne supportait déjà pas ou très mal
ses longues absences en mer. Alors, quand la mort le
lui a pris pour le mettre en terre, elle s'est cramponnée aux barreaux d'un lit d'enfant pour ne pas se
laisser ensevelir avec lui.
   Elle a survécu, il a bien fallu. Elle s'est durcie. Elle
s'est aguerrie. Elle avait passé les concours avant son
mariage. Elle a été aussitôt recrutée par les P.T.T. Et
elle a refait, recentré sa vie autour de sa fille, leur
fille à tous les deux, qui n'a rien eu de plus pressé
que de la quitter à son tour pour étudier à Rennes
d'abord, puis pour bosser à Paris. Enfin, pour s'y
marier. Nanou ne s'opposait à rien, approuvait tout.
Sans se priver, ça soulage, d'exprimer très librement
sa façon de penser : Mais, bon, si tu crois que ça te
rendra heureuse, je ne vais pas... Et Caro soulagée,
reconnaissante, ne manquait jamais de revenir,

comme Yann autrefois, à son port d'attache, une vieille maison de pêcheur, toute fleurie, en bordure de grève, à Loguivy dans les Côtes-d'Armor.

Les années l'ont à peine effleurée, Nanou. Elle est restée incroyablement jeune de corps et d'esprit. Vive, active, enjouée. Elle va toujours faire ses courses au bourg à vélo. Les jours de grande marée, elle ramène des kilos de bouquets. Et elle attend de sa fille qu'elle vienne en faire autant pendant ses congés.

Surtout maintenant que Roland l'a plantée là, avec un gamin, son gamin à Nanou, son bébé. On le lui a déposé, puis expédié, en colis recommandé à des voyageurs du train pour Guingamp, chaque fois qu'on était en panne de nounou ou de point de chute pendant les vacances, les petites, les grandes. Nanou lui a appris à nager, il avait quoi... quatre ans à peine. A lire, très vite aussi, très tôt, oui, le bon vieux B.A.-BA de la communale d'autrefois. Et à compter en psalmodiant, trois fois trois neuf, sa table de multiplication. Un gamin, abominablement mal élevé par sa mère dont elle désapprouve vertement les méthodes encore bien plus permissives que celles, déjà catastrophiques, du Dr Spock distraitement appliquées à Caro, petite.

Là, il ne s'agit encore que des vacances de printemps. Réservées à Roland. Ou plutôt à Mamie-Couette qui s'occupera des enfants à Montfort-l'Amaury. Cette année, elle ne les aura que pendant la seconde semaine. Clint a proposé d'emmener Sabrina à Capri pendant cinq, six jours. Un reportage photo. Oui, Barbie sera du voyage. Faut bien que quelqu'un s'occupe de sa pupuce pendant qu'il se balade aux quatre coins de l'île avec un copain journaliste.

Et pendant ce temps-là, on va se donner bonne conscience en envoyant Éric en Provence, chez Mamita, la mère de Roland, une grosse maritorne mal embouchée, mal tenue, pas méchante... Féroce ! Son fils l'ignore, elle lui fait mal, elle lui fait honte.

Et son mari vient de claquer d'une crise cardiaque, enfin délivré, le bienheureux, d'un long martyre sous la coupe de cette mégère... Apprivoisée par le seul Éric. Et encore pas complètement. Suffit d'un rien pour qu'elle retourne à l'état sauvage. Toutes griffes dehors. Sans jamais l'égratigner, lui, encore que...

— Ça, c'est bien ton salopard de père, t'es d'accord, hein, c'est une vraie ordure, ce mec, un tueur!

— Pourquoi tu dis ça, Mamita?

— Parce qu'il l'a abattu d'une balle au cœur, ton pauvre pépé, en faisant comme si on n'existait plus, ce petit snobinard de merde... C'est de naissance. Il m'a arraché le ventre. Et il a jamais cessé de me gueuler dessus depuis. C'est pas moi qui irai pleurer à son enterrement, crois-moi! Toi aussi, tu serais bien content qu'il crève, ce chien, hein, mon petit bonhomme!

Il en frémit d'avance, à la fois fasciné et horrifié, le petit bonhomme, mais bon, il est surbooké par son imprésario de mère et il faut bien qu'il honore les contrats qu'elle signe pour lui.

Jugez plutôt:

— Écoute, maman, sois raisonnable!

— Mais, je le suis, ma petite Caro! Je ne vois pas ce qu'il y a de déraisonnable à demander qu'Éric vienne passer dix jours en Bretagne cet été avec moi. Sur deux mois de vacances, c'est...

— Pas deux mois, voyons, maman, un! L'autre, il va en colonie. C'est très important question rapport aux autres, tout ça...

— Admettons. Encore que... Mais pendant les quatre semaines qui restent, que dis-je, ça doit en faire cinq ou six, la rentrée des classes, c'est vers le 7 septembre, il pourrait tout de même...

— Pas cette année, chérie, c'est impossible. Il faut qu'il passe une quinzaine de jours avec Alain et moi. Après, il va chez ses beaux-parents...

— Comment ça, ses beaux-parents?

— Ben, ceux d'Alain, les parents de son ex, il les aime beaucoup.

65

— Non, mais je rêve ! Éric va chez les beaux-parents de ce garçon et pas chez moi qui l'ai pratiquement élevé... Pour quoi faire ? Et à quel titre ? Enfin, Caro, ces gens-là ne lui sont rien.

— Mais, si, voyons ! Ce sont ses beaux-grands-parents maintenant. Et je tiens absolument à ce qu'ils s'attachent à lui.

— Et qu'ils s'en détachent aussi sec le jour où tu en auras marre de te coltiner un homme marié.

— Non, séparé.

— Mal séparé, si j'ai bien compris. Vous faites appartement à part, non ?

— Pas exactement. Là, il va venir chez moi. Mais il espère dénicher quelque chose d'assez grand pour nous deux plus Éric, plus ses propres gamins, au cas où son ex consentirait à les lui confier de temps en temps.

— C'est pas net, tout ça. Ça sent le provisoire. J'ai dans l'idée que ça tient à un fil. Avant de tisser des liens de famille tu ferais mieux d'être sûre que c'est du solide, du...

— Justement. Je veux voir s'ils plaisent à Éric, les beaux-parents d'Alain. Et réciproquement. C'est très important.

— Je ne vois vraiment pas en quoi. Tu mets la charrue devant les bœufs, ma petite fille. Mais bon... Et après ça, il va où ?

— Chez Mamita. Elle est devenue infernale depuis la mort de son mari. Et elle a menacé de flinguer Roland s'il ne lui donnait pas un petit morceau d'Éric.

— Alors on le lui balance, comme un quartier de viande à une hyène, par-dessus la grille de la cage, c'est ça ? Enfin, tu te rends compte un peu ?

— Arrête, maman ! C'est juste pour un week-end. Mais même comme ça, ça ne laisse que quelques jours à peine pour la mère de la Galette qui...

— La mère de qui ?

— Tu sais bien ! De la copine de son père. Sa fille va y passer trois semaines et comme il l'adore...

— Attends, je m'y perds... De qui tu parles, là?

— Ben, de la fille de Marie-Hélène, Sabrina, la semi-sœur d'Éric. Ne me dis pas que tu ne sais pas qui c'est.

— Bien sûr que si! J'ai même proposé à Éric de l'amener à Loguivy... Au lieu de quoi, on l'envoie, lui, chez sa grand-mère à elle. Et moi, on me jette, on me préfère les beaux-parents du... du... Je ne sais même pas comment le désigner, moi, ton Alain... Du copain de la mère de mon petit-fils.

— Ce que tu peux être conventionnelle, ma pauvre maman!

— Oui, parfaitement! Et je m'en vante. De mon temps, un enfant avait quatre grands-parents. Maxi. Et c'était bien suffisant. De nos jours, ou il lui en manque deux vu qu'on a négligé de lui donner un père ou alors, merci l'espérance de vie, en comptant les arrière-grand-mères, il arrive à la douzaine. Et, dès qu'ils se cassent ou qu'ils disparaissent, on les lui remplace : Combien ça t'en fait, là mon bébé? Rien que cinq mamies et trois papis? T'en as encore perdu un? C'est pas grave. Tu vas en avoir un autre. Je peux même t'en offrir une paire toute neuve pendant que j'y suis. Quand? Si tu essayes de ne plus mordre la maîtresse quatre fois par jour, mais deux seulement, dès que l'école sera finie. Aux grandes vacances.

— Très drôle!

— Enfin, sérieusement, Caro, tu ne vas pas le priver de sa bande de copains pour l'envoyer se morfondre tout seul, je ne sais où.

— En Corrèze. Et pas tout seul. Il ira avec Justine et Romain.

— Alors là, j'ai besoin d'un cours de rattrapage. J'arrive pas à suivre.

— Tu le fais exprès ou quoi? Les enfants d'Alain. Ses tiers sœur et frère à Éric. Paraît qu'ils sont très gentils. Ils sont un peu plus jeunes que lui. Et ça lui fera le plus grand bien. Ça lui donnera le sens des responsabilités.

— Alors, ça, c'est pas mal! C'est en les forçant à essuyer les conséquences de la conduite irresponsable de leurs parents qu'on inculque le sens de la responsabilité aux enfants, maintenant?

Mme Refoule a laissé cette pauvre Caro le bec dans l'eau. Elle a répondu à ses questions, façon psy, par des questions. Sans réponse.

— Vous savez, docteur, ce dîner de famille...

— Quel dîner?

— Celui que vous nous avez dit d'organiser.

— Sûrement pas. C'était à qui de prendre cette décision?

— J'en sais plus rien, moi! Enfin, ç'a été une cata. Il est infernal, Éric, depuis. Alors je me disais que râler pour râler, au moins là, il aura une bonne raison de me faire la gueule. Mais je ne voudrais pas non plus que la présence de mon ami le rende trop malheureux. Qu'est-ce que vous en pensez?

— En somme, vous me demandez si le fait d'introduire un tiers dans une relation duale déjà tendue peut la compromettre davantage?

— Ben, oui, c'est ça... C'est rapport à Éric... Est-ce que ça peut le traumatiser ou pas?

— Est-ce que ce n'est pas à vous, sa mère, de vous interroger pour savoir ce qui pourrait ou éviter ou justifier une réaction de rejet de la part d'Éric? Il y a tout un travail à faire sur vous-même, sur le père de l'enfant, ça, vous le savez, je vous l'ai dit d'entrée de jeu, et maintenant sur votre ami. A raison de trois ou quatre séances par semaine chacun, d'ici un an ou deux, on y verra peut-être un peu plus clair, vous ne croyez pas?

— Oui, mais en attendant, qu'est-ce que je dois faire? J'ai lu dans *Marie-Claire* que, pour qu'un enfant soit heureux, fallait d'abord que sa mère le soit. Et ça, il est certain que si je vivais avec...

— Eh bien, chère madame, pourquoi ne pas suivre cet excellent conseil? Donné par qui déjà? Il ne faudrait pas que vous perdiez davantage votre temps, ici, n'est-ce pas ? Combien vous me devez ? Est-ce que ce ne serait pas cinq cents francs ?

Deux ans à se vautrer sur un divan pour savoir s'ils peuvent se mettre ensemble ou pas, elle n'a pas le créneau pour ça, ni les moyens, ma Caro. Alain non plus. Alors, tant pis, elle va essayer de sonder Éric sans le braquer. Et un soir, mine de rien, elle lui balance :

— Dis voir, Éric, si on dînait à la cuisine, pas devant la télé. Il y a longtemps qu'on s'est pas parlé tous les deux.

— Normal, on n'y est jamais !

— Jamais quoi ?

— Tous les deux. Ou t'es pas là ou on est trois.

— Ben, justement, je voulais te demander, est-ce que ça te plairait qu'on le soit toujours ?

— Pour de vrai ? Rien que nous deux ? Comme avant ? Oh, oui ! Tu sais, je serai plus jamais méchant, je te promets... maman, si tu savais...

— Ce que je ne sais pas c'est ce que tu peux bien avoir contre Alain. Faut que je te dise, il nous aime beaucoup et...

— Et toi aussi tu l'aimes. J'en étais sûr. Plus que moi...

— Jamais de la vie ! Comment tu peux dire une chose pareille. Ça n'a rien à voir. Lui, je l'aime comme un ami, mon ami. Toi, comme un enfant, mon enfant chéri...

— Non, tu m'aimes plus, parce que je suis pas gentil. Mais puisque je t'ai dit que je le serai plus, méchant... Maman ! Oh, maman...

— Faut pas pleurer, voyons, mon gros bêta, il n'y a aucune raison !

— Si, c'est ma faute, je voulais pas être méchant, mais...

— T'es pas méchant, mon chéri, tu boudes, tu fais des caprices pour un oui, pour un non, mais tu...

— Je le ferai plus, je te promets, et à l'école j'aurai que des bonnes notes... Juré-craché et même, si tu veux, j'irai plus chez papa et Mamiène... Enfin, Marie-Hélène, et je resterai avec toi et je te servirai le petit déjeuner au lit, tu veux ?

— Quelle idée ! Ils seraient déçus, Mamiène et papa, ça leur ferait de la peine.

— Oh ! ça, non, ça leur serait bien égal. Au contraire ! Et puis, papa, il comprendrait que je veux pas te laisser toute seule.

— Mais, je ne serais pas toute seule, voyons, mon grand, c'est de ça que je voulais qu'on parle. Alain sera ici, avec moi. Il va habiter avec nous. Dans l'ancien bureau de papa. Ben, qu'est-ce que tu fais ? Tu vas pas manger un Kim-cône maintenant, on va passer à table... Tu m'entends, Éric ? C'est ça, allume la télé et vautre-toi devant pendant toute la soirée, sans desserrer les dents, pour changer. Tu m'as dit que tu allais être un peu gentil avec moi, là, maintenant, me servir le petit déjeuner au lit... C'est ça, appelle Sabrina pour lui...

— Allô, Sabrina ? Tu me passes Mamiène... Allô, maman ? C'est Éric ; dis, le prochain week-end, c'est pas mon tour, mais je peux venir quand même ? Ma mère, ça l'arrangerait. Et moi, je serais bien content. C'est vrai ? Ça vous embêtera pas ? Merci, maman. Je t'embrasse bien fort.

Mamiène raccroche, stupéfaite. Maman ! Éric l'a appelée maman ! Il est à peine 7 heures du soir, Roland n'est pas encore rentré, Sabrina est retournée dans sa chambre, son walkman vissé aux oreilles... Et Tonette est en train de mettre le couvert :

— Qu'est-ce que t'as, ma petite chatte ? On dirait que t'as avalé une souris de travers.

— Non, pas du tout, au contraire, je suis ravie, tu sais ce qu'il vient de faire, Éric ? Il m'a appelée maman.

— Et tu trouves ça bien? Tu trouves normal qu'il te téléphone de chez lui, parce qu'il y est, chez lui, avec sa mère, la vraie, et qu'il t'appelle, toi, maman?

— Parfaitement! Ça prouve qu'il m'aime, qu'il m'a adoptée, qu'il aimerait avoir une maman un peu plus jolie, un peu plus présentable que...

— Désolée. Un enfant, ça aime sa mère. C'est comme ça. Pas autrement. Et s'il t'a appelée maman, ça prouve qu'il a un problème avec la sienne. A ta place, ça m'inquiéterait au lieu de me réjouir.

— Tu crois? Faut que j'en parle à Roland, alors. C'est à lui, pas à moi de... Ah, tu tombes bien, chéri! Éric vient d'appeler pour demander s'il peut venir dès vendredi. Il m'a dit : Allô, maman? Et Tonette en déduit que ça va pas avec ta femme.

— Ah! non, je vous en prie, je suis crevé, j'ai passé ma journée à corriger des trucs qui n'allaient pas, je ne vais pas me charger en plus des problèmes de...

— De votre fils, m'sieur Roland! C'est tout de même plus important, si je peux me permettre, que ceux d'une Mme Crafougnat, ses nichons, sa bedaine et sa culotte d'éléphant.

— Quand vous aurez fini de jouer les servantes de Molière, Tonette...

— De qui? Je ne suis la servante de personne, moi, monsieur! J'ai été vendeuse chez les parents de Mamiène toute ma vie, je l'ai vue grandir, moi! Et quand ils m'ont demandé de m'occuper d'elle, on vous la confie, qu'ils m'ont dit, pareil que si c'était un bébé... Pensez, ça n'avait pas dix-huit ans que c'était déjà installé dans son propre appartement. J'ai tenu sa maison et je me suis occupée de sa gamine comme si c'était la mienne. Je croyais que chez elle, c'était chez moi. Mais puisque j'ai plus le droit de dire ma façon de penser, je m'en vais. Vous me traitez comme la bonne, alors permettez à la bonne de vous rendre son tablier. Allez, tchao! Bonne chance!

— Voyons, chéri, tu es malade ou quoi? Vexer Tonette, c'est vraiment pas le jour! Tu sais bien qu'on a les Taylor à dîner. Va vite lui demander pardon...

— Non, désolé, j'ai passé l'âge. Moi, c'est Roland, pas Éric... C'est de sa faute aussi, à ce petit con! Si t'étais pas venue me raconter qu'il a fait je ne sais quelle bêtise, je ne me serais pas emporté et...

— Oui, ben, lui, tu laisses tomber et tu cours t'occuper de Tonette. Elle, on ne peut pas s'en passer!

Tonette tournicote dans sa cuisine en attendant de servir le dîner donné en l'honneur d'un grand chirurgien américain; il a une énorme clientèle à Miami, et Roland, qui va souvent se recycler aux États-Unis, rêve d'être invité à travailler avec lui. Elle rumine son indignation, sa rancœur : Si c'est pas malheureux quand même! Et Sabrina qui picore dans les bols remplis d'amuse-gueule :

— Qu'est-ce qu'il y a, Totone? T'as l'air toute retournée.

— Arrête! Tu vas pas te bourrer de cacahuètes! Après t'auras plus faim et je t'ai préparé un petit pigeon. Assieds-toi là et tiens-toi tranquille. Ce sera prêt dans cinq minutes. Commence pas à m'énerver, toi aussi. C'est pas le jour, crois-moi! Tu vas m'obéir, oui?

— Non! Pas avant que tu m'aies raconté... T'es fâchée après maman?... C'est pas elle? Alors c'est qui? Roland? Il s'est mis en colère et il a encore cassé quelque chose?

— Non, il m'a mal parlé et ça, j'accepte pas.

— Qu'est-ce qu'il t'a dit?

— De m'occuper de mes affaires. Je regrette, mais comme ils laissent traîner leurs enfants sans jamais prendre la peine de s'en occuper, qui c'est qui est obligée de les ramasser, de les nettoyer, de les laver, de les aérer et de les remettre à leur place, leurs affaires? Moi! C'est quand même un monde! Ça passe des heures à rassurer ses pouffiasses de clientes — Vous êtes sûr que j'aurai pas un sein plus haut que l'autre, après, dites, docteur? — et ça n'a

pas une minute à consacrer à son propre petit garçon. Lui, il le jette, il le casse, il s'en fout. Elles, il les
rapièce, il les ravaude, il les recoud, il en est fou.

— Qu'est-ce qu'il lui a encore fait à Éric ? Il veut
pas qu'il vienne le prochain week-end ?

— C'est pas le problème !

— C'est quoi ?

— C'est de savoir pourquoi il veut venir ici deux
semaines de suite. Il vient à peine de rentrer chez lui.
Mais ça, c'est le dernier de ses soucis à son père. Et
Mamiène, toute fière, toute contente parce que le
petit l'a appelée maman...

— Tiens ! C'est bizarre. Il a peut-être dit ça comme
ça, en croyant parler à Caro. Remarque, maman, il
l'aime beaucoup. Si je lui téléphonais, il me le dirait
à moi, ce qui ne va pas.

— Tout à l'heure. Là, ils doivent être en train de
dîner, tu vas les déranger.

— Penses-tu, il n'est même pas 8 heures... Allô !
C'est... heu... Madame... heu... C'est Caro ? C'est
Sabrina. Éric est là ? Je peux lui parler ? Non, non, je
vous promets, juste deux minutes... Alors, qu'est-ce
qui t'arrive ? Pourquoi tu veux venir ? Tu peux rien
me dire ?...

— Mais, moi, je peux te le dire, Sabrina, monsieur
n'est pas content parce que je lui ai annoncé qu'Alain
allait vivre ici avec nous.

— Ça, alors ! Moi qui ai dit à ma copine que j'allais
avoir un troisième papa et qu'on l'appellerait Alain,
je vais avoir l'air de quoi ?

Ça va pas, Irène. Elle n'est pas bien dans sa tête de
femme libérée. Elle se trouve moche. Elle est crevée.
Elle n'entend plus le réveil sonner. Chaque matin,
c'est pareil, elle saute, affolée, de sous sa couette
dans ses baskets. Elle enfile n'importe quoi. A peine
si elle a le temps d'avaler le café préparé par une Abigaïl vacharde : Oh ! là là ! T'as vu un peu la gueule
que t'as ? Et puis un jour, en feuilletant un magazine

chez le dentiste, qu'est-ce qu'elle voit? Offrez-vous le luxe d'une journée beauté-calme-volupté.

Après tout, pourquoi pas? Elle déchire l'article, le fourre dans son sac. Et rentrée chez elle, le consulte : *Commencez par mettre tout le monde dehors.* Pas évident. Ah, ben si, tiens, pas plus tard que mardi prochain, Abi va coucher chez sa copine et y passer le mercredi. Et comme elle-même ne fait pas cours ce jour-là... Arrive le mardi en question... Qu'est-ce qui est marqué?... En rentrant du lycée le soir, elle se crapahute ses cinq étages avec trois cabas remplis de crèmes, d'onguents, de gels. Il y en a pour plus de mille balles. Et s'échine ensuite à briquer, ranger, lessiver l'appart pour que tout soit bien net, bien propre, le jour J.

Le jour J... Voyons voir... C'est la course contre la montre, dites donc! On va se préparer un petit déjeuner vachement compliqué avec des œufs coque trois minutes, des céréales, des laits écrémés, des fromages maigres, du pain complet, tout ça. On retourne le bouffer au lit après avoir monté le thermostat au passage : *Vous allez vous prélasser, à moitié nue, n'attrapez pas froid.* Irène cogne son plateau contre la chaudière... Ah! merde! Elle en a pour une heure à tout nettoyer.

Après quoi, elle s'est frictionnée au gant de crin, ça fait un mal de chien. Après quoi, elle a versé de l'huile dans son lavabo et elle a trempé ses cheveux dedans. C'est dégueu. Après quoi, elle les a enveloppés dans une serviette à moitié brûlée qu'elle avait mise au four à chauffer. Après quoi, elle s'est arraché la peau des jambes en essayant de les épiler avec de la cire qui a salopé toute la moquette du living... Il n'y a plus qu'à la changer!

Bain brûlant, douche glacée. Algues, galets, poudres relaxantes, amincissantes, tonifiantes, bouillonnantes, exfoliantes. Masque blanc pour points noirs. Masque noir pour teint blanc. Massages, rinçages, gommages. *Quand vous avez fini, vous recommencez.* Forcé, vous êtes en nage. Une écrevisse au court-bouillon. Je vous passe la beauté des pieds, elle s'est charcuté un cor, Ira, ça saigne encore. Celle des seins, elle a laissé tomber. Et celle des mains, pas besoin. Elle était tellement débectée, affamée, énervée, que ses ongles, elle les a tous bouffés.

Si bien que, quand Abi est rentrée le soir, tout excitée :

— Tu peux pas savoir ce qui arrive à Sabrina...

— Non, je peux pas, surtout pas. J'ai pas la tête à ça !

— Montre voir... Non, mais, dis donc, elle est à quoi ta tête ? Vanille ou chocolat ? T'es toute barbouillée... T'as fait des coloriages ?

— Oui, parfaitement. Et pas que sur ma gueule, sur les meubles et la moquette. Style abstrait tachiste. Tu aimes ?

— Ben... Heu... Franchement, c'était mieux avant. Tu devrais appeler Barbie pour lui demander comment ça part.

— Tu sais, Barbie, les produits d'entretien, c'est pas son...

— Enfin, voyons, maman, c'est son fonds de commerce. Elle va te démaquiller ce canapé, te le nettoyer en profondeur et te le régénérer vite fait, t'inquiète. En attendant, tu permets que je te raconte ce qui est arrivé à... Assieds-toi, sinon tu vas tomber par terre... Sabrina, Éric lui a piqué son troisième papa !

— Ça par exemple ! Mais qu'est-ce que vous avez tous à vouloir faire collection de...

— Non, Éric, lui, il est strictement bi.

— Quoi, bi ?

— Parental. Toi, t'es mono. Moi, je suis pluri. Crois-moi, il a pas fait exprès, Éric. Et maintenant, il est bien embêté, il sait plus comment s'en débarrasser... Alors, avec Sab, on s'est demandé si tu pourrais pas l'aider à décoller Alain de sa mère.

— Moi ? Mais qu'est-ce que j'en ferais ?

— Tu m'en ferais cadeau. Écoute, maman, paraît qu'il est hyperbeau, pas cher, avec deux gamins de cinq et deux ans fournis sans supplément. C'est une très bonne affaire... Faut absolument l'enlever à...

— Ah, non, ça ne va pas recommencer! Je n'en veux ni cru ni cuit! De toute façon, t'as vu un peu l'état de l'appart! Rayon détach'net, la boutique ferme de bonne heure. Tu ferais mieux d'aller voir dans une grande surface, genre Mamiène.

Ça le rend malade, Alain, de voir Éric malheureux, Caro aussi. A cause de lui. Qu'est-ce qu'il fout là, entre eux deux, au lieu d'être avec ses gamins à lui, bien au doux, rien qu'eux trois? Libre de les chouchouter, de les gronder, sans être immédiatement accusé ou de les gâter ou de les martyriser par leur chieuse de mère. Il les appelle tous les soirs avant de quitter le bureau, mais très souvent, ça dérange, il le sent : Justine lui répond par oui... non... visiblement arrachée à ses poupées ou à son dessin animé... A demain, papa. Je te passe Romain... Alain attend. Interminablement. Et pour finir, c'est Sylvie qui lui balance, agacée, boudeuse, pressée : Écoute, il veut pas te parler... Fais-lui au moins un bisou à ton père! Non? Ben, non... Désolée. Allez, tchao!

Et puis, un beau matin, à l'agence, les téléphones, affolés, sonnent tous en même temps. A peine a-t-on reposé l'écouteur sur le combiné que ça repart de plus belle, il en décroche un : Allô! Agence Vernet... C'est elle!

— Alain? Faut que je te voie le plus vite possible. On peut déjeuner?

Oui... Mais, non! Pas question. Madame, pardon mademoiselle, le vire : Allez, ouste, dégage, et il suffirait qu'elle claque des doigts pour qu'il accoure, l'échine basse, et se roule à ses pieds...? Qu'est-ce qu'elle s'imagine...?

— Alain, tu es là? Je t'en prie, fais pas la tête, c'est pas le moment. Il s'agit de toi et des enfants...

— Les enfants? Tu crois pas que t'aurais pu y penser plus tôt?

— Écoute, tes reproches, tu les remets dans ta poche et tu passes me prendre au journal à une heure moins le quart. Je t'attends...

Et le soir, de retour chez Caro :

— Écoute, mon cœur, tu peux pas savoir ce qui arrive ! C'est dingue ! Sylvie se tire ! Ils l'envoient au Rwanda et au Zaïre, faire une grande enquête sur le sida en Afrique. Elle peut pas refuser, c'est la chance de sa vie. Et tu sais quoi ? Je rentre chez moi m'occuper des enfants. Génial, non ?

— Ça, c'est pas mal ! Cette garce te largue comme un malpropre et faudrait que tu retournes jouer les filles au pair, le temps qu'elle fasse carrière !

— Oui, voilà, c'est ça ! Elle va être partie pendant un mois et bon, il n'est pas question de laisser les petits tout seuls. Elle dégage dimanche et moi j'emménage dès samedi... C'est fou, non ? Et pour les vacances de printemps, comme leur grand-mère peut pas les prendre, on va à Saint-Martin. Nous trois.

— Comment ça, vous trois ? Et moi, alors ? T'avais tout organisé pour nous deux. J'ai demandé un congé exprès. Qu'est-ce que je vais devenir ici toute seule, sans Éric, sans toi, sans rien ? Mais c'est dégueulasse ! Jamais je te le pardonnerai, ça, Alain ! Allez, dégage ! Fous le camp ! Retournes-y, là, tout de suite, maintenant, chez Miss Envoyée spéciale, tellement spéciale que... Eh ben, qu'est-ce que t'attends ? Dehors, je te dis !

Ils y sont à Capri, Clint, Sabrina et Barbie. Et comme il ne travaille pas aujourd'hui, ils ont décidé de faire le tour des îles en bateau. Embarquement aux petites heures du matin. Plus de place sur le pont. Si, une. Clint l'a prise d'autorité et s'y est installé, sa gamine encore tout ensuquée, elle ne va pas tarder à se rendormir, sur les genoux.

Debout derrière lui, main sur son épaule, Barbie a du vague à l'âme. Il ne s'est encore rien passé entre eux, cette nuit à l'hôtel. A peine s'étaient-ils couchés que la petite a quitté le canapé du salon attenant à la chambre, s'est glissée dans leur lit du côté de son père, s'est pelotonnée contre lui : J'ai peur toute seule. Alors il s'est tourné vers elle, il l'a enlacée, il lui a murmuré : Allons, allons, viens là avec papa, fais dodo ma puce... Et il n'a plus bronché de la nuit.

Là, ça recommence. Dès qu'elle bouge dans son sommeil, il resserre son étreinte en la câlinant, pareil que tous ces couples, des vrais couples, qui roupillent abandonnés aux bras l'un de l'autre, étalés sur les bancs comme dans un plumard. A un moment, Sabrina a ouvert les yeux : Ça y est? On est arrivés? Et son père en l'embrassant dans le cou : Non, non, mon amour, pas encore, allez, dors... Pas un regard pour Barbie, pas un geste de toute la traversée. Elle se sent délaissée, écartée, obligée de jouer les voyeurs. Ça la gêne, ça la dégoûte, ça l'inquiète.

Allez, faut pas t'affoler, ça n'est pas parce qu'il pelote distraitement sa gamine que Clint aimerait aller plus loin. Lui, ce qui l'allume, c'est d'allumer. Éteindre, ça l'éteint. Déjà qu'il doit se prendre par la main pour honorer les dames, il ne va pas s'embêter à coucher avec sa fille. L'inceste? Manquerait plus que ça! Ce qui l'enchante, au contraire, ce sont ces sécurisantes, ces infranchissables barrières interdisant de pousser trop avant des caresses d'autant plus voluptueuses qu'elles ne risquent pas de déboucher sur autre chose.

La plupart du temps, ces caresses, d'abord distraites, tendres, légères, à peine un effleurement, s'inscrivent dans le prolongement de la petite enfance : Dis, papa, tu me fais un câlin? Et papa câline avec un plaisir grandissant cette fillette confiante, abandonnée. Il promène une main innocente encore sur cette peau de satin, dans la douceur de ces cheveux. Il respire avec un bonheur inconnu cette odeur aigre-douce, ce parfum de naissance. Il s'émerveille, j'ai fait pareil, devant ces membres lisses et graciles, ce petit ventre bombé : C'est à qui tout ça? C'est à papa... Non? C'est à toi? Allons donc!

Arrive le moment où, d'instinct, l'on s'écarte l'un de l'autre. Où on s'ignore dans le sens où la Bible parle de se connaître. Pas toujours. Un père, à plus forte raison un beau-père, va poursuivre plus avant la découverte de cet être tout neuf, qui se métamorphose sous ses doigts. Et Lolita, en les sentant s'attarder sur la bouture de ses seins, va retenir son souffle, gigoter un peu, les laisser descendre le long de son dos... Émue... A peine... Un peu tout de même... à l'idée de l'émouvoir, lui, cet homme, le seul homme de sa vie, là, encore, qui, déjà, la traite en femme.

Et c'est comme ça, de façon imperceptiblement plus précise, qu'elle le deviendra, préparée de longue main sans l'être vraiment, victime horrifiée, humiliée, non plus consentante, mais coupable soudain, d'un inavouable viol.

Oui, je sais, très souvent le père, brute avinée, gros verrat reniflant la truffe, se jette sur sa fillette endormie, relève sa chemisette, arrache le bas de son pyjama et la pénètre en grognant de plaisir. Auquel cas, ses hurlements de peur, de douleur devraient normalement ameuter tout le quartier. A plus forte raison sa maman. Mais non, elle se tait, apparemment pétrifiée, paralysée de trouille et de dégoût.

Au Japon, c'est le contraire. Pas question pour un ado de planter là devoirs et leçons, histoire de sortir avec une copine. Sa mère le surveille nuit et jour : Où tu vas, mon grand? Courir la gueuse? Tu n'y penses pas! Et ton examen! Allez, viens, je vais te faire ça vite fait bien fait, tu perdras moins de temps. Après quoi, ils appellent S.O.S.-Inceste — j'ai passé une journée au standard de Tokyo, c'est gratiné! — J'en ai marre, elle n'arrête pas de me sauter dessus... Ou encore : Avec mon fils, franchement, c'est pas le pied! Est-ce que vous croyez que je pourrais limiter ça à deux fois par semaine sans qu'il se sente frustré? Ce ne serait pas mauvais pour ses études?

Remarquez, il n'y a pas qu'au Japon! Il arrive aussi qu'en Occident — curieux, on n'en pipe pas mot dans ce pays —, des gamins, et, oui, parfois même des gamines — Tu veux venir dormir dans mon lit, mon petit bonhomme? Grimpe! — soient livrés aux attouchements d'une mère célibataire en manque. Voire d'une grand-mère. Je pense à un cas particulièrement révoltant relaté en détail — et quels détails! —, photos à l'appui, dans la presse et les médias aux États-Unis. Ils ne parlent que de ça, les Américains, les Anglais aussi. D'abus sexuels de la part des parents. Ils les traquent, ils les dénoncent avec un tel acharnement, une telle virulence qu'on en arrive à les accuser de pratiquer la chasse aux sorcières.

De retour à l'hôtel, ce soir-là, pendant que Sabrina fait sa star dans un bain de mousse.

— Barbie, qu'est-ce que t'as? Tu tires une gueule pas possible depuis qu'on est là. Moi qui croyais te faire plaisir...

— A moi, vraiment? Tu confonds pas avec la petite?

— Quoi, la petite? Tu ne vas tout de même pas me reprocher d'aimer ma fille!

— Tu ne l'aimes pas comme ta fille, tu l'aimes comme... Oui, bon, tu m'as comprise.

— Alors, là, pas du tout, excuse-moi! Tu vas t'expliquer, oui?

— Non! Tu sais très bien ce que je veux dire... Et elle aussi. Ils sont drôlement équivoques, vos rapports.

— Quels rapports?

— Physiques.

— Ah! parce que j'ai des rapports physiques avec ma propre fille?

— Pas exactement, mais presque. Vous avez une façon de vous tenir, je te jure, c'en est gênant.

— Non, mais c'est ignoble... T'es ignoble... Retire ça immédiatement, sinon...

— Bon, bon, mettons que j'ai rien vu.

— Vu quoi, bon Dieu?

— Que t'es fou perdu de ta...

— De ma sorcière bien-aimée? Oui. Et après! Je t'en souhaite autant. Remarque, ça risque pas d'arriver. Perverse comme t'es, faudrait vraiment être complètement siphonné pour te donner un amour d'enfant en couche-culotte : viens là, que je t'enlève ton Pampers et que je te suce, mon chéri.

— Ça, tu le regretteras, Clint!

Eh ben, non! C'est elle qui la regrette, à présent, la claque qu'elle lui a filée — Clint en est resté sonné —, seule dans cette sinistre salle à manger d'hôtel : Qu'est-ce qui m'a pris? J'aurais jamais dû... J'ai tout gâché... Tout quoi, au fond? Tout rien, oui! Il est nul, ce mec... Un vrai fumier, m'sieur Hubert de Ville d'Avène, un beau salaud.

Elle a raison, Irène, qu'est-ce que je fous, moi, ici, avec lui, avec elle? Allez, tire-toi, ma fille. C'est ce que tu as de mieux à faire. Tu pourrais prendre une autre chambre pour cette nuit et rentrer à Paris demain par le premier avion, non? Oui... Mais non, tel que je le connais, il ne cherchera même pas à savoir où je suis passée : tiens, elle est partie, cette conne? Bon débarras! Allez, ma belle petite chérie, on descend au bar. Faut arroser ça.

Elle y a couru, Barbie, au bar, pour voir si... Elle a vu. Clint sifflait une coupe de champagne. Et Sabrina un verre d'Orangina... Qu'est-ce qu'elle va faire, là? Reculer ou avancer? Tu vas te décider, oui? Non. Il a aperçu son reflet pétrifié dans le miroir derrière le comptoir, il s'est retourné, il lui a fait signe : Au pied! Viens demander pardon... Et elle y est allée ventre à terre... Mais, c'est bien la dernière fois, croix de fer, croix de bois, si elle ment...

— C'est dégueulasse, cette huile, ça pue, ça poisse, ça...

— Arrête, Alain, ça sent très bon, le Monoï. Et t'es

81

pas obligé de t'en mettre. J'ai un lait dans mon sac...
indice 6 ou 8, je sais plus... Regarde voir.

— Comment veux-tu que je regarde, voyons, Caro,
j'ai pas de mains. Elles sont pleines de...

— Tiens, ben, profites-en pour me les passer dans
le dos... Plus bas... plus loin... Va faire tes pâtés là, tu
vois, Romain, là-bas... Non, chéri, c'est caca, le sable
sur la serviette de bain de Caro... Encore plus loin,
mon bébé... Plus haut, je t'ai dit !

— Non, t'as dit plus bas.

— Non, Alain, plus haut... Oh ! là là ! t'as vu un peu
le coup de soleil que t'as chopé sur les cuisses. On
dirait deux rondelles de homard posées sur des
blancs de poulet. Va donc te mettre à l'ombre... Non,
prends pas cette chaise longue... Tu vois bien que j'ai
mis le maillot du petit à sécher... L'autre... Ben, t'as
qu'à la virer, sa bouée... Non, pas sur la glacière,
voyons, Alain, c'est cac... C'est sale... Je sais pas, moi,
par terre... Dis donc, et Justine, où elle est passée ?
Ah ! te voilà, ma puce... Qui t'a donné cet esquimau ?

— C'est mon papa. Je lui ai demandé les sous.
Ingrid et Gudrun, elles en ont eu aussi. Leur maman
a dit oui.

— Enfin, Alain, où tu as la tête ? On déjeune dans
dix minutes. Fais attention, Justine, ça dégouline de
partout ! Pas étonnant qu'elle ait pas faim aux heures
des repas !

— Laisse tomber, tu veux, Caro. Ses petites
copines en ont eu un. J'allais pas lui refuser... C'est
jamais qu'une gamine de six ans. A peine... En plus,
c'est la mienne et j'ai pas besoin de ton autorisation
pour lui acheter une glace.

— Si c'est comme ça que tu le prends, je dirai plus
un mot, t'inquiète ! Tes gosses, t'as qu'à te débrouiller
avec. Allez, tchao !

Je vous entends d'ici : C'est pas bientôt fini, ces
brouilles à mort et ces réconciliations pour la vie ?
Un coup, elle le vire, son Alain, ta Caro. Un coup, elle

se tire. On en a le tournis! Et d'abord, qu'est-ce qu'ils foutent ensemble sur cette plage?

Simple : ils jouent au papa et à la maman avec un beau baigneur et une poupée qui parle. Alain, qui en rêvait, s'est vite rendu compte que la double journée, la triple le mercredi pour peu qu'un des deux ne puisse... — Papa, Romain, bobo... Ici... Et puis là... — aller au centre aéré.

Il leur a cédé une fois, deux fois, il les a emmenés à tour de rôle à l'agence : Tiens, mets-toi là et bouge pas! Je vais te donner un Bic, une feuille de papier et tu vas... Salut, Roger, t'as pas ton gamin avec toi, aujourd'hui? Dommage, il aurait pu jouer avec le mien. — Non, grâce à Dieu, pas cette fois-ci, mais, le mercredi, il y en a toujours à la comptabilité. Va donc voir si t'en trouves pas un qui puisse te convenir.

La garde, ils se débattent pour l'obtenir, S.O.S. Papa, les divorcés-séparés-décollés. Et ils se débattent pour l'assumer, S.O.S. Maman, les stressés-largués-dépassés. Pas tous, je sais bien, mais bon, je ne vais pas vous resservir J.J., le papa poule de *Maman coq*. Alain, lui, est débordé. La double journée, connaît pas. A peine Sylvie était-elle partie en reportage — Je vous appellerai très, très souvent, promis, mes bébés à moi, mes jolis — qu'il s'est mis à paniquer :

— Allô, Caro! Oui, c'est moi... Non, écoute, on va pas remettre ça... Si je t'appelle, c'est pour une bonne raison, crois-moi... Ben, t'as vu, il est 11 heures passées et Justine ne veut pas aller se coucher sans sa mère... J'ai essayé, tu penses bien, mais elle se relève immédiatement... Oui, bien sûr, je l'ai éteinte, la télé... C'est pas ça, elle veut dormir avec moi... Je ne peux tout de même pas la prendre dans mon lit...

Elle ne lui a pas raccroché au nez, Caro, vous pensez bien, elle a saisi cette occasion inespérée de le laisser gigoter au bout de sa ligne, son abruti d'Alain, assez con pour tambouriner à la porte qu'elle lui a claquée dans le dos! Monsieur a fait le fier. Silence radio. Et c'était quand même pas à elle, la victime, de ramper vers son bourreau. Question de dignité :

— Comment veux-tu que je te conseille, mon chéri, je les connais pas, moi, tes gosses. C'est très individuel, ce genre de réaction. Ça dépend du caractère, du contexte. Faudrait peut-être que je les voie chez eux. Avec toi... C'est ça, t'y penses et tu me rappelles.... Allez, je t'embrasse... Bon courage !

Et dix jours plus tard :

— Allô, Caro ? Tu m'entends ? Ce qu'elle est mauvaise, la ligne !... Oui, on vient d'arriver à Saint-Martin... Non, ça va pas... Pas du tout... Romain a failli se noyer pendant que j'avais le dos tourné et Justine... Dis voir, mon cœur, je me demande... Si tu venais nous rejoindre ?... Je te prends une chambre à l'hôtel et... Oui ? C'est vrai ? Super !... Ton billet ? Tu le trouveras à l'agence, je les préviens immédiatement... Il y a un vol qui part de Paris le samedi à...

Et qui atterrit à Saint-Martin, le dimanche à...

— Ah ! te voilà, salut, ma vieille ! T'as fait bon voyage ? Les enfants, je vous présente une amie, la maman d'un petit garçon qui passe ses vacances chez son papa. Éric, il s'appelle... Dis bonjour à la dame, Justine... Non ? Ben, ça fait rien...

Elle en a gros sur la patate, du coup, Caro : Non, mais qu'est-ce que c'est que ce cinéma ? Ma vieille ! La dame ! Tu veux pas lui dire bonjour, ma puce ? Aucune importance ! Il a honte de moi devant ses enfants ou quoi ? Moi, Éric, j'ai pas hésité, je lui ai dit la vérité. Et lui...

Mais, bon, elle a potassé le bouquin d'Armelle Ogier sur les familles mosaïques dans l'avion et elle s'est promis de... N'empêche, il ne l'emportera pas au paradis !

La voilà repartie dans un de ses trips minceur, maigrir en mangeant, Mamiène. Ah ! bon, elle est trop grosse ? Non, pas vraiment. Attendez que je vous raconte. Il y a une dizaine de jours, ils sont allés dîner chez Edgard.

— Il faut absolument qu'on y aille, dis, Roland ! Paraît que c'est le rendez-vous du Tout-Paris politico-médiatique. Je crois même que c'est là qu'un ministre... Comment déjà... celui qui a eu plein d'emmerdes plus ou moins louches... C'est là qu'il a fêté son mariage ou la communion de sa fille ou je ne sais quoi... Tu vois qui je veux dire...? Même qu'il s'est suicidé... Bérégovoy? Peut-être! Alors, c'est d'accord? J'appelle Laurence et Jean-Yves, ça les amusera, leur fils veut faire Sciences-po.

Le soir venu, Mamiène n'a pas cessé de lorgner du côté d'un monsieur, en costume trois-pièces gris anthracite, installé avec des amis à la table voisine, qui ne la quittait pas des yeux. C'est peut-être quelqu'un de très important, va savoir! Et Roland a réagi au quart de tour. Pour ça, il est parfait, rien à dire. Boulettes de mie de pain triturées d'une main vengeresse. Verre de vin constamment déplacé de trois centimètres d'un geste exaspéré. Ton déplaisant, irrité. Et puis, le dragueur est parti bien avant eux, Mamiène lui est revenue et il s'est calmé.

N'empêche, quand ils se sont caressés cette nuit-là, il lui a glissé (Tiens, attrape, espèce de garce!) : C'est comme ça que je t'aime, ma houri à moi... Bien enveloppée, bien grasse... Ton ventre, on dirait une énorme glace à la vanille. Donne que je lèche...

Elle l'a repoussé, horrifiée. Elle a giclé hors du lit. Elle a couru s'enfermer dans sa salle de bains-bonbonnière. Robinets dorés à l'ancienne, moquette rose thé, murs entièrement tapissés de miroirs. Elle s'est examinée sur toutes les coutures. Elle s'est pincé le bas du dos, le gras du bras, l'extérieur des cuisses... Bourrelets! Cellulite! Enfin, c'est pas possible! Et la balance, qu'est-ce qu'elle en dit? Elle confirme : 54 kilos... Non, plus, 54,2! T'as pris près de trois livres! T'es obèse, ma pauvre chérie, c'est vrai. Un monstre. Bonne pour le cirque Barnum!

Et elle est retournée se coucher, mortifiée... Il aurait quand même pu s'abstenir de... Quel mufle!

Plus question de le laisser l'approcher. Remarquez, ça risque pas. Il roupille, roulé en chien de fusil, le nez au mur et, aux lèvres, un petit sourire satisfait.

Elle n'a pas cessé de le bouder depuis. Et Roland trouve que ça commence à bien faire! C'est les vacances scolaires. Les enfants sont partis. Bonne occasion de se réconcilier. Alors un beau matin :

— T'as vu un peu ce temps, chérie? Une merveille, non? Si on allait déjeuner au Bois tous les deux, en amoureux. J'appelle Brigitte pour qu'elle fasse patienter les clientes, elles m'attendront bien une heure ou deux au salon... Et je lui dis de réserver une table en terrasse à la Cascade, O.K.?

— O.K., oui, pourquoi pas? (Mais s'il croit que ça suffira à l'amadouer...)

— Mets-toi là, Mamiène, tu seras mieux. Non, ça ne craint pas pour ta peau, il est encore pâle là, le soleil... Garçon, deux kirs! Royaux, évidemment!... T'en veux pas? Un seul alors!... Vous pouvez nous envoyer le maître d'hôtel? On va commander... Qu'est-ce que tu prends pour commencer, chérie?... Rien? Tu vas pas me laisser manger tout seul quand même! Bon, ben, tant pis, on va passer directement à l'entrée... Un steak salade sans huile? Un peu triste, non?... Je pensais qu'on allait faire la fête! Ce sera pour une autre fois! La même chose pour moi. Mais à l'huile d'olive, la salade, s'il vous plaît...

Une demi-heure plus tard :

— Où tu es, là, Mamiène? T'entends des voix? Non, parce que moi, ça fait vingt minutes que je te parle, tu ne m'écoutes pas!

— Je compte.

— Comment ça, tu comptes?

— Ben, oui, comme à la gym, je compte mes mouvements.

— Mais t'en fais pas, des...

— Si, de mastication. Faut prendre des petites bouchées et s'arrêter pendant vingt-sept secondes entre chaque série de trente-deux... Là, j'arrive à cinquante-quatre, une vraie semelle, cette viande...

— Et ça muscle quoi?

— La volonté. C'est la méthode Fensterheim et Baer pour éviter de manger trop. Et de ressembler à une houri pour vieux vicelard fatigué... Alors, si tu permets?

Ce qu'il est mignon, Éric! Beau comme une image sortie d'un livre d'enfants. Tu vois là, il dort, le petit garçon. On dirait un bébé écureuil avec sa courte fourrure de cheveux châtain clair, ses taches de rousseur, sa jolie bouille rose et ses longs cils refermés sur un regard noisette tirant sur le vert. Maintenant, il va les ouvrir, ses yeux, caressé, chatouillé par un rayon de soleil qui s'est glissé sous la persienne de sa chambre mansardée, chez Mamita. Il se retourne, se roule en boule, enfonce la tête dans l'oreiller en guettant son pas lourd de menaces dans l'escalier.

Encore tout ensommeillé, il l'imagine en fée Carabosse, visage bouffi, cerné d'ombres menaçantes, maigre chignon poivre et sel lâché aux épaules. Il entend, il attend — entre eux, c'est un rite — sa voix colère et tendre — Sors de là, sale bête — et se cramponne à la couette qu'elle va lui arracher à la brutale : Allez, ouste, dehors, espèce de poulpe! Pas de ça dans la maison. Tu veux qu'elle monte sur son balai, ta sorcière de grand-mère? Et il en frissonne de délicieuse frousse.

La voilà. Elle hisse péniblement de marche en marche, en ahanant, cramponnée à la rampe, ses cent deux kilos recouverts d'une housse, toujours la même, en tissu à fleurs grisâtre. Arrivée sur le palier, elle hésite, comme perdue, entre ces deux portes fermées, celle d'Éric et celle du grenier. Elle ne sait plus pourquoi elle est montée Ça devrait lui revenir, c'est souvent le cas, maintenant qu'elle est revenue s'affaler à la cuisine, devant sa toile cirée et son bol de café. Mais non, rien ne se présente au souvenir de cette absente. Elle si véhémente, si vindicative, la voilà qui trébuche, de temps en temps, dans des grands trous de mémoire et de silence où frémissent, comme des bulles crevant à la surface, d'incompréhensibles et bredouillantes diatribes.

Quand Éric a déboulé, pieds nus, en pyjama, surpris, terriblement déçu par cette entorse au protocole, elle n'a pas relevé la tête, toute à son marmonnant murmure intérieur. Il l'a secouée :

— Qu'est-ce que t'as, dis, Mamita? Pourquoi t'es même pas venue me chercher? T'es dérangée, c'est ça?

Dérangée! Il tient ce mot-là de la voisine, Mme Rose, la mère de son petit copain. Une mère de famille. La famille, la vraie, la normale, celle qu'il aurait voulu avoir, pleine de tendresse et de gaieté. Ça va faire bientôt quatre ans qu'ils se sont installés dans le pavillon à côté avec leurs deux enfants, les Beauchamps. Des gens adorables, gentils, serviables, souriants. Lui très carré, elle toute ronde maintenant que le troisième bébé est en route, il sera là fin mai. Elle était debout sur le pas de sa porte, les mains sur les hanches, le ventre en avant, quand elle l'a vu passer, hier, il venait d'arriver, derrière la haie mitoyenne et elle lui a fait signe en l'invitant à venir les voir dès qu'il aurait embrassé sa grand-mère.

Et un peu plus tard :

— T'es là pour les vacances, Éric? Elle m'avait rien dit, Mamita... Remarque, ça m'étonne pas... C'est Sylvain qui va être content. Il va pas tarder. Les vacances, ça commence le 19 par ici. Mais bon, demain c'est samedi et vous pourrez en profiter. Tu veux un Coca en l'attendant?... Dis voir, petit, elle m'inquiète, ta Mamita. Tu vas la trouver changée, depuis l'année dernière. Elle s'est comme assombrie, renfrognée. Et quand elle gronde, qu'elle montre les dents, c'est vraiment le chien méchant. Pas pareil qu'avant. Tiens, l'autre jour encore, on étendait notre linge ensemble, je lui dis que je vais demander à mon mari de retendre la corde... Et la voilà qui me traite de roulure, de...

— C'est quoi, ça, roulure?

— C'est... C'est rien. Mais c'est pas gentil, vu que je m'en occupe pareil que si c'était ma marraine, maintenant que ton pauvre pépé...

— Alors pourquoi elle l'a dit?

— Parce qu'elle est un peu dérangée, je crois.

— Mamita, réponds-moi, je te dérange, hein! Tu voulais pas que je vienne...

— Qu'est-ce qui te prend? Qui te dit que je voulais pas...?

— C'est la mère à Sylvain. Et ça m'est bien égal! Je voulais pas non plus. Je voulais aller...

— Où ça? T'as personne chez qui aller, pauvre pitchoun. Ils t'ont planté là, ils t'ont abandonné, ces enfoirés...

Et elle en a fait autant. Elle s'est à nouveau enfoncée, hippopotame aux grosses paupières plissées, dans les eaux sombres et glauques de ses pensées.

Il l'a regardée, pétrifié, les larmes aux yeux, les joues en feu. Il est tout seul, alors, seul au monde comme dans les contes! Et il est parti en courant frapper au carreau de la cuisine où Rosette, gaie, alerte, lustrée, une petite caille en robe-tablier, donnait la becquée, tartines, chocolat ou chicorée, à sa nichée. Elle lui a servi son petit déjeuner comme si de rien n'était... Ah, non, Margot! Après tout le mal que je me suis donné pour te coiffer, tu vas pas recommencer à tirer sur tes nattes... Voyons... Et se tournant vers son aîné : Il fait beau, vous devriez en profiter pour aller à la piscine à vélo, Éric et toi. T'inquiète pas pour Mamita, petit, je m'en occupe.

Le soir, Rose l'a gardé à dîner : Ta grand-mère est un peu fatiguée, là, aujourd'hui... Autant que tu manges ici... Ils étaient encore à rire et à chahuter — Elle est pas pour toi, Éric, cette crêpe, tu vas la laisser à ma sœur, oui?... Essaye de l'attraper pour voir! — quand Mamita a surgi dans le cercle de l'abat-jour juponné pendu au-dessus de la table. Personne ne l'a vue entrer. Elle désigne Éric du menton : Allez, viens, toi! T'as rien à faire ici... Les Beauchamps se regardent, visiblement mal à l'aise. Éric se lève et la suit, sans un mot, pauvre petit chiot tiré par une invisible laisse. Mais au moment de rentrer à la maison, il fait déjà nuit, elle se laisse tomber lourdement sur un banc de jardin :

— Viens là, pitchoun, assieds-toi, à côté de moi... Viens que je te raconte une histoire. Tu vois toutes ces étoiles au ciel? Eh bien, il y a longtemps, à peu près à la même heure, loin d'ici, sous un pied de vigne, on a trouvé un nouveau-né qui hurlait à la lune, enveloppé dans un coin de tablier. Un enfant que sa mère avait abandonné là, pendant les vendanges.

— C'était pas moi, quand même, dis, Mamita?

— Non, petit, c'était moi.

Loin, très loin de là, très loin de lui, à Saint-Martin, Caro, Alain et ses enfants dînent aux bougies sur la terrasse de l'hôtel devant un décor de carte postale. Caro se sent jolie, mince, bronzée déjà, blondie. Mais Alain, empressé, inquiet, n'a d'yeux que pour ses petits : Mange, ma puce, rien qu'un peu... T'aimes pas ça? Et Caro, déçue; c'était bien la peine d'hésiter pendant une heure entre sa robe-paréo et son pantalon à fleurs! Caro jalouse, Caro aigre-douce :

— Laisse tomber, Alain, normal qu'elle ait pas faim, après tout ce qu'elle a pu avaler à la plage cet après-midi... Romain, on ne tape pas avec sa fourchette sur la table... Une fourchette, c'est pas un jouet, c'est...

Le gamin a regardé son père. Son père l'a regardée, elle — Non, mais de quoi je me mêle? — et Caro l'étrangère, Caro l'exclue, Caro, les larmes aux yeux, a regardé dans le vide : Si je peux pas dire un mot sans qu'il m'efface d'un coup d'éponge — Ne l'écoutez pas, mes angelots, c'est rien, c'est personne —, pas la peine de faire venir une conseillère en éducation... Dire qu'on devait partir tous les deux, rien que nous deux... Non, c'est vrai, qu'est-ce que je fous ici, avec ces gens, au lieu d'être allée en Bretagne chez Nanou, ou même chez Mamita, n'importe où, mais avec mon petit garçon à moi?...

Et Alain, au lieu de la ramener à lui, à eux, l'a plantée là : Non, Justine, pas avec les doigts, les coquillettes! Tiens, pique avec... Bon, tant pis, mais sans te sucer les doigts, ça se fait pas... Et toi... T'as sommeil, hein, mon bébé? Oh, mais je bâille, moi, je vais bientôt faire un gros dodo...

Et pour madame, pas de dessert? Elle a secoué la tête. Elle s'est levée sans qu'il fasse un geste pour la retenir : Alors, qu'est-ce que tu prends, Justine, un banana split? Tu es sûre? Pour le petit, un yaourt... A la fraise, vous avez?... Ah! toi aussi tu veux un banana... — Caro, où elle va, dis papa?

Elle a traversé sa chambre sans allumer, elle est allée s'asseoir dans un fauteuil à bascule sur le balcon accroché entre ciel et mer, une mer de velours sombre, un ciel... comment on dit, déjà, dans les romans d'aéroport? Un ciel saupoudré... Non, pas saupoudré... Constellé d'étoiles... Lune de miel... Nuit d'amour... Douce nuit d'amour... Nuit d'amour partagé... Nuit d'amour gâchée... Et ma vie, donc! Cassée, émiettée, jetée aux quatre vents d'un rêve de bonheur à jamais enfui... Ce que c'est joli, ce qu'elle vient de se dire là... Elle caresse son bras nu, si doux, une vraie soie, sous ses doigts...

Encore, maman!... Éric, son Éric, son Riquet était pelotonné contre elle sur le divan du salon, dans son peignoir éponge à capuche, il sentait le talc et le lait, il avait quoi... l'âge de Romain... Elle le dévorait de baisers... Encore, maman... Mon Dieu, mon Dieu... Comment est-ce que j'ai pu l'abandonner? Mon bébé, mon petit si... Elle cherche un refrain de chanson... Si na-na-na et si fragile... Ah oui, ça doit être « Avoir un enfant toute seule ». Un enfant, son enfant tout seul chez cette vieille folle. Et elle, toute seule ici avec des enfants qui ne lui sont rien... Rien de rien... Non, je ne regrette rien... Si, tout, je regrette tant et plus... Je te demande pardon, mon chéri, mon amour... Elle se balance d'arrière en avant, elle berce son chagrin... Chagrin et pitié pour lui, pour elle...

Et soudain, dans l'ombre, cette petite chemise de nuit blanche, cette petite main sur la sienne : Justine.

— Dis, Caro, pourquoi tu pleures, t'es triste ?

— Non, c'est rien... Qu'est-ce que tu fais là, ma puce ? Il est tard. Tu devrais être au lit. Et papa, où il est ?

— Je sais pas, il a éteint la lumière, il nous a laissés tout seuls. Et je peux pas dormir, Romain m'empêche, il fait que de se tortiller...

— Tu l'as laissé monter dans ton lit ?

— Il pleurait après maman, alors j'ai dit oui... Et toi, pourquoi tu pleures ?

— Je pleure après mon petit garçon, après Éric... Je voudrais qu'il soit ici, avec moi.

— Ben, j'y suis, là, avec toi, alors faut pas... T'es pas ma maman, mais ça fait rien. Il me l'aurait prêtée, Éric, et à Romain aussi. Parce que Romain, il est petit, plus petit que moi, alors il en a b'soin...

— Oui, tu as raison, ma chérie... Viens là, viens, ma douceur, viens sur mes genoux... Tiens, regarde la lumière, là-bas, qui avance sur l'eau... Tu la vois ?

— C'est quoi ?

— C'est un bateau.

— Où il va ?

— Loin, très loin, au pays des...

— Si c'est une histoire, faut commencer par il était une fois...

— Il était une fois une merveille de petite fille, la fille du roi. Et quand elle est née par une belle nuit étoilée, les bonnes fées se sont penchées sur le berceau doré où elle dormait, belle comme un ange et...

— C'était moi, dis, Caro ?

— Oui, ma tendresse, c'était toi.

Quand Mamita a fermé derrière elle — Allez, pit-

choun, il est temps d'aller se coucher — les vieilles
grilles rouillées de son jardin secret, un jardin
embroussaillé de ronces où elle revient, de plus en
plus souvent, s'égratigner, se griffer au souvenir de
son enfance maltraitée, malheureuse, mal nourrie,
mal aimée, Éric s'était endormi, la tête nichée contre
sa large cuisse étalée sur le banc. Et elle est repartie,
sans piper mot, à la rencontre de cette petite fille, si
sauvage, si farouche, encore, si agressive, si révoltée,
déjà. Nom... prénom... Pas de nom... Deux prénoms :
Antoine Mauricette. Adresse : Assistance publique.
Nom du père, de la mère : Néant. Pas de parents. Des
nourrices. Payées pour. Chez qui on la plaçait :
M'sieur, s'il vous plaît, je veux pas rester là, elle est
méchante, la dame, elle me crie après, elle me bat...
Je veux retourner chez nounou Barbier... — Non, je
regrette, elle ne veut plus de toi. Tu es trop dure.
Alors tu restes ici, compris ? Sinon, c'est l'orphelinat.
Éric a frissonné dans son sommeil.
— T'as raison, pitchoun. L'orphelinat c'était...
Allez, viens, le vent s'est levé, tu vas attraper froid...
Viens, on rentre à la maison.

— Allez, viens, Justine, il est temps d'aller se coucher... Laisse, Caro, laisse mon cœur, je vais la ramener dans son lit et après...
Après, Alain est revenu sur le balcon. Caro, il l'a
prise par la main, il l'a prise dans ses bras, il l'a
embrassée, un long baiser au clair de lune... Lune de
miel... Nuit d'amour... Et Caro s'est donnée à lui...
Rien qu'à toi, jusqu'à ce que... Comment c'est déjà ?...
Jusqu'à ce que la mort nous sépare. Sauf que quand
elle s'est réveillée le lendemain matin, qu'elle a tendu
tendrement le bras vers lui, pareil qu'au cinéma, il
n'était plus là... Il était assis à leur table dans la salle
à manger de l'hôtel avec ses deux gamins, des
gamins capricieux, braillards :
— Non, mon bébé, pas le couteau... Tu vas te faire
bobo... Donne, donne à papa... Ah ! te voilà, Caro...

Sois mignonne, passe-moi le biberon, il est trop petit pour boire son lait dans une tasse...

— A deux ans? Moi, Éric...

— Et moi aussi, hein, papa, à deux ans, je faisais pareil qu'Éric. Tu me la raconteras dans mon lit, ce soir, dis, Caro, l'histoire de la petite fille? C'est oui?

Irène a travaillé, enfermée seule chez elle, toute la journée. Elle a envoyé Abi en colo et elle a profité des vacances pour avancer son travail, une thèse sur le droit des minorités : trente ans après Berkeley, le politically correct aux États-Unis. Elle a répandu, pardon, distribué des kilos de doc, les Portoricaines handicapées physiques ici, les Afro-Américains sidéens là, sur tous les meubles du living. Elle a installé sa machine entre deux cendriers pleins et trois tasses à café vides, sur la table basse. Elle s'y est mise tôt ce matin. Elle n'a pas dételé de la journée. Et elle n'a pratiquement pas avancé. Hier pareil.

Allez, tant pis! Il est tard, bientôt 9 heures du soir. Elle crève de faim. Au frigo, plus rien. Enfin, si, un reste de thon à moitié dévoré la veille, à même la boîte, devant un Fred Astaire en noir et blanc, une merveille... Et à part ça? Une crème dessert, date limite dépassée depuis trois semaines, et un vieux bout de gruyère immangeable, durci, jauni...

Tu sais ce que tu vas faire, ma grande? Tu vas descendre manger un morceau à la brasserie du coin. Ça te changera les idées. Elle enfile une veste bleu marine sur son tee-shirt blanc et son jean délavé, attrape son sac à bandoulière, claque sa porte et passe une main distraite dans ses cheveux bruns coupés à la garçonne en dégringolant ses cinq étages. Ce qu'elle fait jeune, c'est pas croyable, fraîche, naturelle, avec un de ces teints! Un teint de rose, et de lys, comme on disait au siècle dernier. Hérité de sa mère, Abigaïl, une ravissante Anglaise, qui lui a légué en prime un goût inné pour le style B.C.B.G.

Stupeur de votre part? Vous pensiez qu'elle était moche et mal fagotée, Irène? Qu'est-ce qui a bien pu vous donner une idée pareille? Le coup des soins de beauté? Ah, oui, je vois... Qui dit féministe dit cornichon aigri, fripé, puant le vinaigre à plein nez. Désolée, ça n'est pas le cas.

— T'as encore une table, Gino?

— Une table, non, mais... Suis-moi... Vous permettez, m'sieur Bernard? Il permet. Mets-toi là, mam'zelle Nitouche... Je t'apporte la carte.

Gino l'a assise d'autorité non pas à côté, mais de biais, en face d'un mec installé, seul, à une table pour quatre. Et il est reparti, grand blond en gilet rouge et tablier blanc. Il la connaît depuis une éternité, sa Nitouche, il bossait déjà à la brasserie du vivant de ses parents. Oui, parce qu'elle a toujours habité au-dessus, Irène, dans cet immense appartement, réparti à l'ancienne, de part et d'autre d'un long couloir. Un lieu de tendresse et de souvenirs. Le haut lieu de son enfance, de celle de ses « filles » et de leurs enfants à elles, un jour, qui sait.

Qu'est-ce qu'il fout, Gino? Ça fait une heure qu'il est allé chercher mes harengs... Tiens, j'ai oublié de prendre ce dossier sur... Ça m'aurait occupée... C'est quoi, son journal, à ce mec? Le Monde... Ce que je m'emmerde... Rien à lire... Personne à qui parler... Il est pas mal, pas mal du tout... Un peu ridé... non, même pas, juste au coin des yeux et de la bouche, moi, j'aime bien... Tiens, ses doigts... On dirait ceux de papa... Merde, il feuillette... Arrête-toi donc sur un article, un peu long, et replie le journal que je puisse...

— Tenez, prenez, je ne voudrais pas vous priver de lecture!

— Je vous demande pardon! Je regardais comme ça... Je ne pensais pas être indiscrète...

— Vous n'êtes pas indiscrète, non, s'agit jamais que du Monde, pas de mon journal intime. Je dirais plutôt : coincée.

— Coincée ! Moi ?

— De toute évidence ! Il n'y a qu'une femme libérée pour aller dîner seule au restaurant, sans se sentir gênée, sans se demander ce que les gens vont bien pouvoir penser. Les autres ne savent pas quelle contenance prendre. Elles se disent : Plutôt que de les regarder me regarder, je préfère avoir le nez plongé dans un bouquin ou un...

— Ça, c'est pas mal ! Et vous, qu'est-ce que vous faites ? Vous vous réfugiez derrière une pile de magazines ou vous jouez le coq du village en grattant le sol d'un ergot impatient : Venez, venez, pauvres petites poulettes esseulées que je vous console... Cocorico !

— Où tu vas, Nitouche ?... Je t'apporte ton Baltique...

— Je n'en veux pas. Je m'en vais ! J'étais venue pour avoir la paix, pas pour me retrouver au café du Commerce à essuyer les propos de comptoir d'un vieux macho débile...

— Allons, allons, calmez-vous, madame...

— D'abord, c'est pas madame, c'est mademoiselle... Oui, enfin, non, c'est madame... Mademoiselle, c'est discriminatoire. Je ne vous dis pas mondamoiseau ! Et ensuite... Ah ! et puis, merde, je ne sais plus où j'en suis...

— Vous êtes au bord de la crise de nerfs ! Ce qui prouve bien que j'ai raison... Faut pas vous mettre dans des états pareils, voyons. Que vous soyez seule ou pas... Tout le monde s'en fout. A commencer par moi. Mangez vos harengs et...

— Non, mais, tu as entendu ça, Gino ? Il m'insulte, ce pauvre con ! Tiens, il y a des gens qui s'en vont, là, au fond. Je vais m'installer à leur place... Ah ! et t'aurais pas un journal qui traîne quelque part ?

— Pas la peine, Gino ! Tenez, prenez donc celui-ci, mademoi... dame... Je vous assure, c'est de bon cœur... Je l'ai parcouru, il n'y a rien dedans... Sauf un rapport de l'I.N.S.E.E. sur les familles monoparentales, mais ça, je ne pense pas que ce soit votre truc !

— Alors, mon chat, où t'en es avec ta nana ? Elle est revenue ?

— Barbie ? Qu'est-ce que tu racontes, Mamiène, elle n'est jamais partie.

— Ah bon, je croyais... Sabrina m'a dit que ça avait bardé entre vous à Capri, qu'elle avait pris ses cliques et...

— Sa claque, oui ! Un aller-retour magistral. Ça ne m'était encore jamais arrivé de lever la main sur une femme, mais alors là, ç'a été plus fort que moi. Elle est sortie en me traitant de tous les noms. Et dix minutes après, elle est revenue en larmes : Tu m'as fait mal. Embrasse-moi et demande pardon. Une vraie gamine.

— C'est ce que tu aimes, non ?

— Justement, c'est ce qu'elle me reproche : d'être trop tendre, trop affectueux avec la mienne.

— La tienne ? La nôtre ? Mais, c'est un bébé... Une petite fille de...

— Eh bien, tout juste si elle m'accuse pas de... d'en être amoureux.

— Alors là, je te comprends, c'est monstrueux ! Elle perd la tête ou quoi ? Moi, à ta place, non seulement je la lui aurais mise au carré, mais je l'aurais foutue à la porte à grands coups de pied dans... T'es là, Sabrina, je t'avais pas vue entrer. On a à parler, papa et moi. Tu ne veux pas nous laisser ?

— Pourquoi ? Parce qu'il t'a dit que Barbie était jalouse de moi ? Et que t'as peur que ça me traumatise ? Pas du tout. C'est bien fait pour elle. Elle est moche, elle est vieille, elle est toujours après Clint, elle se frotte contre lui la nuit. Elle prend toute la place dans le lit. On serait tellement mieux rien que tous les deux.

— Non, mais je rêve ! Vous dormez à trois dans le même lit ? Enfin, Clint, t'es complètement givré ou quoi ?

— Si tu crois que ça me fait plaisir ! Elle pleure, Sabrina, elle dit qu'elle a peur toute seule dans le noir. Alors, bon...

— C'est dégoûtant de dire ça, Clint! C'est toi qui...
— Moi! Retire ça tout de suite, Sabrina, sinon...
— Sinon, c'est la gifle?
— Non, la fessée.
— Essaye un peu pour voir.
— Arrête de narguer ton père, Sabrina. Tu te rends compte un peu de ce que tu insinues?
— Ça veut dire quoi, insinue? En tout cas, sa poupée, il peut lui taper dessus, ça m'est bien égal, mais moi, j'accepterai jamais d'être une femme battue.

Ça y est, enfin! Alain est mobilisé. Il doit prendre ses quartiers, baraque Sylvie, du vendredi au dimanche soir. Ça fait près d'un mois qu'il attend sa feuille de route, fou d'impatience, le cœur battant, et ça n'est pas façon de parler, il a des palpitations chaque fois qu'il entend le téléphone sonner, même à l'agence. Il n'a pas vu ses enfants depuis le retour des vacances à Saint-Martin. Quand il les appelle — Tu me passes maman? —, Sylvie refuse de lui parler. Eux aussi, d'ailleurs, de plus en plus souvent : Non, elle veut pas, maman, et Romain non plus... Au revoir, papa!

Et le jeudi soir, son sac est déjà bouclé, enfin son sac, ce serait plutôt la hotte du Père Noël, bourrée de jouets, ils sont en train de dîner : Ah! flûte, le téléphone! Vas-y Éric, c'est sûrement papa. Éric y va. Répond. Pose le récepteur à côté de l'appareil. Revient s'asseoir : C'est pas papa. C'est pas pour nous. C'est pour... lui. Et Caro : Lui? Qui ça, lui? Tu pourrais quand même l'appeler Alain, tu crois pas, mon chéri? Et Alain au téléphone : Quoi?... Là, tu dépasses les bornes, Sylvie. Non, c'est vrai, tu te fous de moi ou quoi!... Je regrette, je ne suis pas ta bonne. Arrange-toi comme tu voudras, mais ne compte pas sur moi dimanche...

Il raccroche, furibard. Joue les derviches tourneurs autour du coin repas, trop énervé pour reprendre sa place à table :

— Elle vient de me décommander encore un coup, la salope. Elle n'y va pas, finalement, à son colloque. Simplement, comme elle a envie d'aller au cinéma dimanche après-midi avec une copine, elle m'autorise, par faveur spéciale, à venir faire la baby-sitter et ça, rien à faire !

— Si, vas-y, crois-moi, Alain, sinon tu en seras malade. D'ailleurs ça ne nous empêche pas de nous retrouver au Jardin d'acclimatation comme prévu avec Éric et les petits... Ils seront terriblement déçus si... T'es content, hein, Éric, de faire la connaissance de Justine et de Romain... Non ?... Allez, mon grand, fais pas la tête. Ils sont très gentils, tu verras...

Oui, il y est allé, Alain, bien sûr. En courant. Et il s'est retrouvé par une belle, une superbe journée d'été, devant la rivière enchantée :

— C'est joli, hein, Justine, ces bateaux ?... Dès qu'Éric sera là, on va monter dessus... t'es contente, hein, ma puce, de retrouver Caro et de faire la connaissance de... Non ? Pourquoi ? tu l'aimais bien Caro... Justine, je te parle... Qu'est-ce que tu as ? Tu n'as pas arrêté de me bouder, aujourd'hui... Sois mignonne, réponds-moi... Non ? Alors, boude, tant pis... Te voilà, mon cœur ! Et Éric, où il est ? Au stand de tir ? On pourrait aller à sa rencontre et s'arrêter au manège... Fais attention, il coule ton esquimau, ma puce, tu vas t'en mettre partout... Tiens, donne, pendant que tu fais le tour de... Non ?... Oui, c'est ça, monte dans la voiture de pompier... Non ? Oui, très bien, la locomotive... Je m'en souviendrai de ce dimanche, dis donc, mon cœur ! Même Romain m'a fait la gueule quand je suis arrivé... C'est pas possible, elle doit leur monter la tête contre moi, la garce !

— Attention, darling, the children, ils comprennent, understand tout... Viens un peu dans mes bras, mon bébé, mon Romain, viens faire un câlin à Caro. Non ?... Curieux quand même, t'as raison, very bizarre... Tu veux refaire un tour, Justine ?... Tiens, voilà Éric... Dis bonjour à la petite fille, mon chéri... Éric! Où tu vas? Éric!... Regarde, Justine, il est allé à la pataugeoire, Éric... On y va? T'as pris son maillot de bain, Alain? Enlève ta robe, je vais... Non?... Bon, qu'est-ce qu'on fait? On ne va pas passer la journée plantés devant ce bassin à attendre que monsieur veuille bien cesser de nous narguer.

— Finalement, c'est oui, alors, ma puce? Tu veux aller à l'eau? N'aie pas peur, elle n'est pas froide... Tu vois Éric là-bas, sur le bord, à côté des deux garçons qui se battent là... En slip rouge... C'est ça, va le rejoindre... É-ric! Attends! Justine va te... Penses-tu! Suffit qu'il la voie venir pour sauter dans le bassin... Elle est complètement perdue, regarde, elle le cherche des yeux... Là, là, Jus-tine!... Il est là, dans l'eau, droit devant toi! Ho! Justine! Là!

— She peut pas hear you, voyons, Alain...

— Alors, why speak English, tu peux me dire?

— Oui, t'as raison, je ne sais plus où j'ai la tête... Pauvre petite chatte, elle tremble de froid... Passe-moi la serviette, Alain, je vais aller la... Il est vache tout de même Éric... É-ric! É-ric! Allez, re-viens! Reviens, É-ric! Quelle tête de cochon, non, je te jure!

Ils ont passé l'après-midi à se fuir et à se courir après, Éric et Justine. Il l'a plaquée au trampoline. Elle l'a suivi au circuit des motos... Les parents s'époumonaient: Jus-ti-ne! Où tu vas? Reste avec nous, voyons, on va se perdre... Jus-ti-ne!... Re-viens! Lui frimait au volant de sa Honda, en la regardant le regarder, pétrifiée d'admiration, tout en faisant comme s'il ne la voyait pas. Et puis au moment de se quitter, il était l'heure de rentrer, sales, barbouillés de sable, de sueur, de chocolat, les mains poisseuses, les genoux noirs, les cheveux collés au front, elle lui a tendu en offrande, les yeux baissés, affreusement intimidée soudain, sa canette d'Orangina piquée d'une paille: Tiens, t'en veux? Oui! Il a dit oui! Enfin non, il n'a rien dit. Il l'a prise, sans un mot, il lui a tourné le dos et il est parti en courant...

Caro se fâche:

— Tu pourrais dire merci, quand même! É-ric!...
Où tu vas? Re-viens! Sinon, je te préviens, tu vas être
puni... É-ric!... Pauvre petite poupée jolie... Il ne
perd rien pour attendre, le méchant garçon, crois-
moi...

Justine se braque :

— C'est toi qui es méchante. Papa aussi. Éric, il
est gentil. Et d'abord je m'en fiche de lui. Et si tu le
punis, ce sera tout ma faute et je veux pas...

Et la voilà qui se met à pleurer, à gros sanglots,
déchirée, débordée, chavirée par le chagrin. Un gros
chagrin, oui. Trop gros, trop lourd pour elle, ce tout
petit bout de femme, six ans à peine.

— Allez, Caro, je te laisse récupérer Éric, nous, on
s'en va, je les ramène. Elle est crevée, regarde-la...
Trop de manèges, de toboggan, de Nuts, de glaces,
de soleil. Donne-moi la main, ma puce, la voiture
n'est pas loin.

Non, elle ne veut pas lui donner la main... Non,
elle ne veut pas non plus prendre la poussette de
Romain... Non, elle ne veut pas rentrer chez elle.
Non, elle ne veut pas rester là... De la voir si malheureuse, si désemparée, Alain, bouleversé lui aussi,
lui tend les bras, la ramasse, la serre contre lui : Là..
Là... Ma petite fille... Ne pleure pas, ma chérie, ça me
fait trop de peine... Si tu savais comme je t'aime! Et
elle, la tête enfouie dans son cou, les joues mouillées
de larmes, la voix hoquetante : C'est même pas vrai!
T'es pas venu à la maison vendredi et t'avais dit oui,
maman l'a dit. Tu viens plus jamais. T'aimes mieux
Éric. Moi aussi, je l'aime. Mais lui, il m'aime pas non
plus. Personne ne m'aime. Et Romain, pareil.

— Maman?... C'est toi, maman? T'as vu l'heure
qu'il est? Où t'étais passée?

— Ça va, Abi! Je suis ta mère, pas ta...

— T'es ma fille-mère, tu me l'as assez répété. Alors
je voudrais bien savoir avec qui tu...

— Tu parles sérieusement?

— Et comment! Regarde un peu ces fleurs! Et ce mot... Tu peux m'expliquer?

— Montre!

— Alors?... J'attends!

— Enfin, Abi, il s'agirait de savoir ce que tu veux. Tu n'arrêtes pas de me réclamer un père et quand...

— Un père! Et... Et... Et tu m'annonces ça comme ça... Sans un mot, sans...

— Si, quatre : un papa pour Abi... Allez, ne fais pas cette tête-là, tu vois bien que je plaisante! Je ne sais même pas d'où ça vient, ces fleurs. Attends que je lise... Ça, par exemple! Si je m'attendais!

— Écoute, maman, moi, je craque là... Si tu ne me dis pas de quoi il s'agit immédiatement, je vais péter un plomb.

— Mais, j'ai aucune idée. Un type odieux, hier, à la brasserie... Un certain Bernard... Gino m'a placée à sa table, on s'est engueulés et, bon, il s'excuse... *De la part de*... Qui? Je ne comprends pas... Il a une écriture pas possible : *De la part d'un père célibataire qui a... quoi?... perdu une belle occasion de se taire... Ou plutôt d'engager une conversation, une vraie, libre, ouverte et...* c'est illisible... *avec sa... son adorable compagne de fortune*... Plutôt gentil, non?

— Drôlement sexiste, oui!

— Comment ça?

— Tu vois pas! Ça veut dire quoi, ça, adorable? Si t'avais été un homme, il se serait jamais permis d'employer ce mot-là : Mon adorable compagnon de... Sauf s'il aimait les garçons.

— Qu'est-ce que tu vas chercher, voyons, Abi!

— Enfin, maman, tu m'as raconté toi-même qu'à Berkeley un prof s'est fait lourder pour moins que ça... Tu sais bien... Une étudiante lui a demandé un polycopié, il lui a répondu un truc du genre : Vous êtes trop mignonne pour que je puisse vous le refuser. Elle l'a dénoncé et...

— Il a été convoqué par le président de l'université, oui, c'est vrai, je voulais même citer ce cas dans ma thèse. Au fond, tu as raison. C'est un sale con, ce mec. Hier, déjà, il m'a mise hors de moi en parlant de... Bon, allez, le mot, au panier! Et les tulipes... Elles sont à moitié mortes, les pauvres... Va donc les mettre dans un vase, sinon, elles vont être les victimes de ce cochon de machiste, elles aussi!

Qui c'est ce Bernard? Bernard Brousset. Un personnage. Oui, ça, on s'en doutait un peu, figure-toi! Normal d'en rencontrer un au détour d'un bouquin, mais encore? Un personnage, je vous dis, un original, si vous préférez. Il est en poste à l'Unesco. Un ancien soixante-huitard. Gauchiste, antifasciste, antiraciste, écologiste, tiers-mondiste et naturiste. Oui, je sais, jusque-là, rien que de très banal. Mais il va plus loin. Il s'efforce, en toute circonstance, d'accorder ses actes à ses principes.

Un exemple? Il s'est fait stériliser avant même d'avoir jamais touché à une personne du sexe opposé. Ce serait criminel à ses yeux, vraiment le fait d'un fou dangereux, de donner la vie, là, aujourd'hui. Mille fois pire que d'en supprimer une. Au rythme d'un milliard par an, la production d'êtres humains jetés sur le marché du chômage, de la misère, de l'inégalité et de la faim risque de faire exploser une chaudière déjà en ébullition.

En adopter un, en revanche, un déshérité de préférence, lui donner une chance de s'en tirer au moindre mal, ça oui. Plutôt deux fois qu'une. Quatre que deux. Ils lui en font voir de toutes les couleurs, ses quatre petits Brousset. Ça va du jaune au noir. En passant par le rouge cuivré et le blanc. Pas du déglingué, de l'amoché, non, de la bonne qualité, sa femme y tenait...

Comment ça, sa femme? Tu ne nous avais pas dit qu'il était père célibataire? Oui, maintenant. Elle l'a quitté. Pour une autre, un peintre allemand sans le sou, rencontrée au festival de Berlin. Gay, oui, follement gay. Déchaînée. Contre les hommes. Elle refuse de leur adresser ne serait-ce que la parole. Vit dans un quartier réservé. Aux femmes. Librairie, commerçants, écoles, médecins, ici, tout se décline au féminin pluriel. Singulier! C'est ce qu'on appelle la scène alternative. Et si, par accident, il arrive à une femme de fabriquer un petit d'homme, elle va lui coudre la braguette, pour l'obliger à baisser son pantalon et l'inciter à pisser accroupi, pareil qu'une fille, au lieu de fanfaronner debout, pieds écartés, son petit tuyau d'arrosage à la main.

Simone — Appelez-moi Sim; Simone, c'est d'un nunuche! —, Sim était scripte quand ils se sont croisés sur un plateau de cinéma au printemps 1970, elle et Bernard, étudiant à Nanterre. Des enfants-fleurs, comme on les appelait alors. Le joint aux lèvres, les cheveux aux épaules et les sandales aux pieds. Ils avaient tout pour se plaire : lui, un paria, était fils de bourgeois. Elle, une brahmane, fille d'ouvrier. Il arrivait encore tout neuf à l'amour. Elle avait déjà pas mal traîné. Sans goût aucun pour la chose du machin. Ça la débectait plutôt, mais bon, ça ne se refusait pas à l'époque. Et ça pouvait toujours servir. La preuve : ce job procuré par un assistant réalisateur.

Le seul danger : se retrouver enceinte. Et ça, elle le refusait de tout son être. Sentir pousser en soi, après avoir été pénétrée par un homme, c'est déjà un viol, sentir cet énorme têtard patauger dans son ventre et pousser de la tête pour en sortir entre ses cuisses écartelées, rien que d'y penser, elle en avait la chair de poule. Quelle horreur! Une monstruosité! Totalement contre nature!

Quand il lui a ramené — il était allé en mission au Burundi — cet adorable gamin Y'a bon Banania, elle a craqué, bien sûr. Une simple lézarde, attention, rien à voir avec un tremblement de terre force 7 à l'échelle de Richter. Et elle s'en est occupée d'autant plus volontiers que ça ne marchait pas fort pour elle dans le cinéma. Un Africain, très bien. Un Africain plus une Asiatique, bon. Un Africain plus une Asiatique plus un Roumain arraché à un orphelinat —

T'es sûr qu'il n'a pas le sida ? —, passe. Un Africain plus une Asiatique plus un Roumain plus un Indien ramassé sur le trottoir de Mexico, vu les circonstances, je ne dis pas non, mais on arrête là.

Et puis, un beau jour, en revenant du bureau, il trouve un message sur son répondeur : *Bernard, c'est moi, c'est Sim. Faut que je te dise...* Les enfants, soyez gentils, arrêtez ce chahut, maman a téléphoné de Berlin et je voudrais bien pouvoir entendre ce que... *Bernard, faut que je te dise, j'ai rencontré quelqu'un. Une femme. Je l'aime. Et je veux refaire ma vie avec elle. En Allemagne, oui. Les enfants, je te les laisse, Astrid, c'est tout ce qu'elle déteste et moi j'ai plus tellement de créneau pour ça...*

Et Bernard, amusé, intrigué, excité comme un pou :

— Les enfants, taisez-vous... Écoutez-moi ! J'ai une grande nouvelle à vous annoncer. Vous allez avoir... La plupart de vos petits camarades en ont déjà, vous pas... Devinez quoi... Non, pas un petit frère eurasien... Ce sera pour une autre fois... Une belle-mère ! Maman a décidé de vous en offrir une. Génial, non ?

Perchée sur douze centimètres de talons aiguilles dorés, une énorme échelle de pompier posée sur son genou, qui se déploie, droit devant, de sa cheville à sa cuisse — son collant-voile-chair-ultra-fin-taille-2 a filé —, Mamiène est incendiée de honte... Tonette avait raison : *Tu peux pas tenir debout là-dessus toute la soirée, voyons, ma chatte, mets donc tes Jourdan en satin avec un collant noir... A la mode ou pas, on s'en fout, ça allonge... Tiens, d'où ça sort, cette robe ras le bonbon, je la connaissais pas, tu viens de l'acheter ?... Chez Jean-Paul Gaultier ? M'étonne pas ! Tourne-toi pour voir... Drôlement sexy, dis donc !... Mais, non, tire pas dessus... Elle te découvre les seins ? Et alors ? Simplement faudra penser à les remonter de temps en temps, parce que*

toi, tu te le passes plus, le test du crayon, ma Mine...
Allons donc! Tu veux qu'on essaye?... Tiens,
qu'est-ce que je te disais, il reste collé dessous!

Si seulement elle l'avait écoutée! En plus, ils sont
arrivés trop tôt, pour pas changer. Roland est un
maniaque de la ponctualité. A rebours. Ça aussi, ça
lui fait honte. Sonner chez les gens à 8 h 20, quand
on est invité à partir de la demie, c'est d'un plouc! A
travers la porte d'entrée, on entend les exclamations
— Oh, merde, pas déjà! — de la maîtresse de maison
qui gicle, les pieds encore mouillés, de son bain et
fonce — clac-cloc —, les rouleaux sur la tête, le long
du couloir jusqu'à sa penderie: Chéri, va ouvrir, je
ne suis pas prête! Les enfants, débarrassez-moi le
plancher!

Le plus souvent, Mamiène prend un verre au café
d'en face et attend moins le quart pour monter: Ah!
vous voilà, chère amie, votre mari est arrivé le premier comme d'habitude. Nous sommes toujours très
touchés par cette preuve d'amitié! Mais bon, là, le
bistro le plus proche est à cent cinquante mètres, il
pleut des cordes, et elle ne va pas sacrifier son brushing à celui de Zaza.

Une amie d'enfance, élevée, comme elle, dans le
Sentier, perdue de vue depuis des années, depuis que
les frères Hamoun, les rois Midas — Zaza avait quoi,
à peine dix-huit ans quand elle a épousé l'aîné... Adorable, ce mariage à la synagogue du quartier —,
depuis que David-le-Grand et Robert-le-Petit sont
passés en force du prêt-à-porter au prêt-à-filmer. Ils
encaissent toujours... Succès sur succès.

— Tiens, mets-toi là, Mamiène... Zaza n'est pas
tout à fait prête... Qu'est-ce que tu prends? Champagne, whisky... Et vous, docteur?... T'as pas tellement changé, tu sais...

Lui, si. Et d'adresse et de look. L'une commandant
l'autre. De la rue des Rosiers à l'avenue Foch, de la
petite cuisine familiale à cet énorme salon lambrissé,
il y a vingt ans de lutte au couteau, affûtant la sil-
houette et les traits. Jogging, golf, U.V., voiture de

maître avec chauffeur, seul vrai signe extérieur de la réussite à présent, il se voyait tout en haut de l'affiche, il y est.

Enfoncée dans son coin de canapé, Mamiène croise et décroise les jambes... Si seulement je pouvais m'asseoir dessus... Est-ce que c'est vrai, ce qu'on raconte, David amoureux fou, prêt à larguer cette pauvre Zaza et ses trois gamins pour une...

— Ah! chérie, te voilà enfin... J'allais justement te chercher pour te demander... Regarde ce qui m'arrive... Tu pourrais pas me dépanner?

— Viens, on va voir, mais ça m'étonnerait, je ne porte que du noir et avec tes sandales, ça va pas coller... Qui il y aura ce soir? Gros biz et show-biz comme d'habitude... Oui, bien sûr, elle sera là, c'est sa petite amie, à David. Ah! je vois où tu voulais en venir... T'as toujours été la bonne copine, hein, ma vieille! Bof, elle lui passera comme les autres. Lui? Mais il m'a toujours trompée! Question de standing. Avant, on se payait des danseuses, maintenant on s'offre des top models. Noires, de préférence, c'est le grand chic. Tiens, ça me fait penser, tes collants... Ben, non, désolée... Aucune importance, c'est un dîner-buffet, on va se marcher sur les pieds et personne ne remarquera tes cuisses, ma pauvre chérie.

Retour au salon. Mamiène rase les murs en se guignant de glace en glace... Glisse une main furtive dans son décolleté... Flûte, mes seins, qu'est-ce qu'ils ont à dégringoler comme ça? Si tu te tenais droite aussi... Et soudain, derrière son dos redressé, arrêt sur l'image... Hé là, ho! Où tu crois que tu vas? Elle essaye d'emballer mon mec, cette minette ou quoi... Qui c'est déjà?... Je ne connais qu'elle... Roland aussi, apparemment... Non, mais regardez-la: J'aimerais que vous m'examiniez le nombril, docteur, parce que, voyez, quand je fais la danse du ventre, il... Et mes yeux, vous les trouvez comment? Un peu petits, non? Attendez, je les ouvre grands, je bats des cils, et... flûte, ils se décollent... Cherchez pas, ils sont restés accrochés au revers de votre veston... Si vous veniez m'aider à les remettre dans les toilettes?

Que faire? Ne rien faire... Pas son genre. Non, en faire autant. Prise dans un tourbillon de dos tournés et de visages offerts, elle happe au passage : T'as vu, là, derrière toi, Isa en grand flirt avec... Paraît qu'elle est folle perdue d'un toubib à la mode... Tu crois que c'est lui?

Une liaison, une vraie? Enfin, c'est pas possible! Ah! tu vas voir mon bonhomme! Bon, alors, qui je vais bien pouvoir... Personne. La voilà devenue transparente tout à coup. Ces regards qu'elle attirait ne s'accrochent plus au sien. Ils la traversent, ils glissent, ils se détournent. Elle cherche des yeux quelqu'un qui ne la voit pas, qu'elle ne voit plus, absorbée, bouffée de l'intérieur par le doute. Douter de lui, c'est douter d'elle. C'est perdre la certitude de plaire. Quand Clint est sorti de sa vie, Roland y était déjà entré. Son pouvoir de séduction, il le lui avait d'avance rendu. S'il le lui retire aujourd'hui, elle ne va pas pouvoir s'en servir avant belle lurette, pauvre petite goélette, désarmée, voiles larguées, à qui son barreur donnait assurance, allure et beauté.

Elle va pour le retrouver, s'accrocher à lui, comme à une amarre... Non, au buffet, pas la peine, ils n'y sont pas... Dans la pièce à côté... Non plus... Ils ont disparu... Ah! bonjour, mon Patrick, comment vas-tu?... Bien, je vois... Joli, ce veston grenat... Roland est là, soudain, il la tire par le bras, agacé, impatient. Non, rien à voir avec cette ébauche de flirt en trompe l'œil destiné, il le sent, à l'inquiéter, lui, et à la rassurer, elle. Impatient tout simplement :

— Bon, allez, je m'en vais.

— Comment ça, Roland, tu t'en vas? Et moi? Qu'est-ce qui se passe? Il est à peine 10 heures du soir...

— Tu viens si tu veux, sinon tu...

— Mais, je n'ai pas pris ma clé... Comment je vais rentrer?

— En taxi. T'auras qu'à sonner, je t'ouvrirai.

108

Et Zaza, à croire qu'elle les guettait :

— Vous nous quittez déjà, docteur ? Alors, comment avez-vous trouvé Isabelle ? Dommage qu'elle ait dû partir si tôt, mais elle est en plein tournage... Venue que pour vous... Depuis le temps qu'elle voulait... Ravissante, non ?... Tellement photogéniques, ces petits visages gros comme le poing... Ah ! non, Mamiène, tu ne vas pas me faire ça... Viens que je te raconte...

Elle l'entraîne, et Mamiène cède à regret : suivre docilement Roland qui se défile parce que son étoile a filé, c'est la honte... Rester seule ici, dans ces conditions, c'est l'angoisse...

— Mamiène, t'es ailleurs... Tu m'écoutes, oui ? Tu sais, la négresse de David, je viens de l'inviter à passer le mois d'août à Antibes avec nous. Elle était ravie. Pas lui. Il a tiré une de ces tronches... C'est bien ce que je te disais. Il doit en avoir une autre en vue. A un moment, j'ai pensé que ça pourrait être cette pétasse d'Isa. Mais bon, de ce côté-là, je suis rassurée. Plus rien à craindre !

Caro et sa copine taillent une bavette, devant un bifteck frites en salle de garde à la materne.

— Ah, non, ce travail, dis donc, Christine ! T'aurais vu le mari de ma femme en train de filmer la sortie de la tête : Allez, pousse un coup, chérie, pas trop fort... Doucement... Encore... Par-fait ! J'ai le crâne en gros plan. Remarque, là, dans la série *Naissance de bébé*, les trois premiers épisodes ont tellement bien marché qu'ils comptent en tourner encore plusieurs.

— Moi, elle était seule comme un clou, ma gamine. Plaquée par son petit copain. Brouillée avec ses parents. Et pour tout arranger, ça s'est mal passé. Elle était à six centimètres et puis, plus rien, la tête ne s'engageait pas. J'appelle le gynéco en lui disant de se grouiller. Total, elle l'a attendue pendant deux heures, sa césarienne. Quel salopard quand même !

— Qui ça ? Hassan ? Lui, plus c'est pressé, moins il se presse, tu le connais...

— Non, l'étudiant qui lui a fait un enfant cet été, un amour de vacances — elle m'a tout raconté, pauvre petite — et qui l'a laissée froidement tomber. Ils sont vraiment nuls, les mecs. Ils passent chez toi. Je peux entrer ?... Bon, allez, tchao, faut que je m'en aille. Au plaisir ! Tu leur cours après : Hé, ho ! t'as oublié un truc dans mon ventre, je te signale ! — Ah ! Ça ? Aucune importance ! J'en ai des tas... T'as qu'à t'en débarrasser, si t'en veux pas. Et puis un beau jour, les voilà qui rappliquent : Dis donc, mon truc, là, tu l'aurais pas gardé par hasard ? Non, parce que j'aimerais bien le récupérer...

— Pourquoi tu me dis ça, Chris ?

— Pourquoi je te le dirais pas ? Qu'est-ce qu'il y a ? On n'a pas le droit de... Ah, je vois ! Non, je ne pensais pas du tout à lui... Au point même d'oublier de te demander comment il va, ton Alain. N'empêche, qu'il y en ait un qui paye pour les autres, tous les autres, si c'était pas le tien, ça ne m'empêcherait pas de dormir !

— D'abord, il n'est pas le seul à payer. Il y en a de plus en plus. Ensuite, l'égalité des sexes, c'est pas une voie à sens unique.

L'égalité ? Dans ce domaine ? Non, mais je rêve ! La fabrication de nouveau-nés, depuis le début des temps, dans l'espèce humaine, d'un bout à l'autre de la chaîne, avec tous les accidents du travail que ça entraîne, qui se la tape, hein ? Les femmes. Elle est pourtant payée pour le savoir, Caro ! Pendant des millénaires, les hommes se sont contentés de fournir la matière première et n'ont prêté qu'un intérêt distrait à la suite des opérations. Ça n'est pas parce qu'ils se réveillent en sursaut — c'est moi le géniteur, c'est moi l'accoucheur ! — qu'on va leur offrir le produit fini sur un plateau tout de même !

— Il n'en demande pas tant, ce pauvre Alain ! Il voudrait simplement avoir le droit de s'en approcher à temps réguliers. Mais ça, Sylvie ne veut pas en

entendre parler. Quand elle s'en va : Tiens, prends !
Et ne les lâche pas d'une semelle. Quand elle
revient : Allez, rends ! Et ne remets plus les pieds ici.
Il en est malade. Les gamins aussi. Ils se sentent
abandonnés par leur père et ils lui en veulent terriblement. Enfin, surtout l'aînée, le petit, lui...

— C'est moche, oui, ça, faut reconnaître.

— C'est ignoble, tu veux dire, Chri-Chri, et profon-
dément injuste. Il n'a aucun droit, sinon celui de cas-
quer, elle lui réclame quatre mille balles par mois de
pension alimentaire, et de rester vissé vingt-quatre
heures sur vingt-quatre à son téléphone, des fois
qu'elle appellerait S.O.S. Dépannage.

— Tiens, ça me fait penser... Pourquoi il ne
s'adresserait pas à S.O.S. Papa ? Paraît qu'ils sont
très efficaces, question dépannage justement.

— Oh, ça, il n'a besoin de personne pour y aller à
sa place, crois-moi ! Tu peux le sonner à 2 heures du
matin. Dix minutes après, il est là.

— Mais, non, idiote, c'est pas de ça qu'il s'agit...

Il s'agit de défendre la condition masculine grave-
ment menacée, comme chacun sait, par les nanas.
Ils l'ont amère, les mecs, mettez-vous à leur place.
Leur émancipation, à qui elles la doivent, ces
chiennes ? Le droit de vote, le bicorne de Polytech-
nique, la pilule, un portefeuille de Premier ministre,
les commandes d'un Boeing... Merci qui ? Merci,
messieurs ! Mais bon, c'est toujours pareil avec elles.
Vous leur donnez le doigt, elles vous bouffent le
bras.

D'où S.O.S. Papa. Une association modestement
logée rue des Messageries. On pousse la porte, on
traverse une cour, on entre dans un cagibi, flanqué
d'un placard à balais. C'est là que l'avocat de service
dispense ses conseils aux exclus de la société...
matriarcale. Aux victimes des nanties. Aux chômeurs
de la couche-culotte, sans espoir de débouchés sur le
marché du travail ménager. Chaque fois qu'ils se

présentent avec leurs sales gueules de mecs, on leur dit que la place est prise ou qu'on n'a besoin de personne.

Ça les exaspère. Ils ont la haine. Dans les manifs, ils cassent du sac à main et ils brandissent des pancartes réclamant le regroupement familial et la réinsertion dans le foyer conjugal. Tenez, regardez-les, ces jeunes pères, assis sur des chaises de cuisine, devant des tables en Formica, en baskets, blousons et jeans, qui attendent de passer à la consultation postnatale, ils ont l'air gentils comme ça... Et ils le sont! Très gentils pris un à un. Normal, ils se déclinent au masculin-féminin. Mais le M.L.H., le Mouvement de libération des hommes est en marche, ça, faut le savoir.

Accueilli par des sourires bienveillants et complices — Allons, donc! Toi aussi? —, Alain, qui s'est traîné là en se tirant par la main — Je ne veux pas y aller, c'est ridicule, j'aurai l'air de quoi? —, se calme. Il n'est pas le seul dans son cas. Et puis s'affole en entendant les autres lui exposer le leur, de cas. Ça, ils ne sont pas avares de confidences :

— N'écoute pas Patrick, lui, c'est rien, moi, si tu savais! La mère — Ils ne disent jamais, ou très rarement, ma femme, mon ex, ma compagne, le plus souvent c'est « la » mère — s'est tirée, elle était enceinte de sept mois et mon fils, là, il a deux ans, je ne l'ai encore jamais vu...

— Moi, au bout de cinq ans de procédure et douze mille balles de frais d'avocat, pas évident quand on est au chômage, j'ai obtenu quoi? Que la mère autorise ma gamine à décrocher le téléphone et à m'appeler un dimanche sur deux!...

— Mon gosse, sa mère le battait comme plâtre chaque fois qu'il revenait de chez moi. On le lui a retiré. Non, pas pour me le confier, tu rigoles? Pour le placer dans une famille d'accueil. Comme si c'était de ma faute, la baston qu'il prenait en rentrant chez cette folle! Résultat, il a perdu père et mère, Christian. Un orphelin...

— Moi, mes enfants, la mère s'était tirée : Tiens, je te les laisse. Démerde-toi avec. Et puis un beau jour, madame se réveille ou plutôt mademoiselle, on n'était pas mariés : J'aurais pas deux gosses qui traînent quelque part ? Elle les reprend. Refuse de me les prêter, ne serait-ce que de temps en temps. Meurt dans un accident de bagnole. Je les récupère. Mais, légalement, j'ai aucun droit. Ni celui de les inscrire à l'école, ni celui de les emmener en vacances à l'étranger. Je te raconte pas les démarches. On me balade de bureau en bureau... Pire que du Kafka.

— Un matin, je dépose mon gamin à l'école avant d'aller bosser. Le soir, quand je reviens le chercher, plus personne. La mère l'avait kidnappé. Il a fallu que je lui envoie les gendarmes...

Amers ? Doux-amers. Des doux dingues, obsédés par une paternité désirée, contrecarrée et revendiquée avec une passion que les obstacles et les difficultés ne font que fouetter. Ces petits, leurs petits, ils en sont fous. Fous furieux même parfois. Et on les comprend. Ils ne pensent plus qu'à eux. C'est à peine s'ils regardent ceux d'un premier ou d'un autre lit, ceux d'une précédente union, ceux de leur nouvelle femme. Et ces gosses-là en souffrent, forcément.

Demandez à Éric. Il n'a rien contre Justine, sinon qu'elle est tout pour Alain. Et Caro, il y tient trop pour voir d'autres gamins lui en chiper ne serait-ce qu'une parcelle sans réagir. D'autant qu'il la sent très vulnérable, sa mère, sur ce plan-là. Elle veut se faire adopter par les deux petits, c'est clair. Quitte à se laisser envahir puis occuper. Et ça, non, pas question ! Hé, toi, là ! Comment tu t'appelles ?... Justine ?... Tu ne t'approches pas. C'est mon territoire. Si tu avances, je tire !

Accident de la circulation dans les allées d'un supermarché. Deux caddies se sont rentrés dedans. Un poids lourd transportant des tonnes de provisions et de produits d'entretien conduit par un vieux routier. Et, déboulant en sens contraire, un petit chariot de courses qui se rabat sans prévenir pour attraper un pot de crème Yoplait. Au volant, une jeune femme pressée.

— Pouviez pas faire atten... Ça, alors, mademoiselle, pardon, madame...

— On se connaît? Ah! oui, en effet, on s'est déjà accrochés à la...

— La brasserie en bas de chez vous, oui.

— Et vous récidivez!

— Ah! non, je regrette, ce coup-ci, c'est vous qui êtes dans votre tort, Ira.

— Ira?

— Oui, c'est comme ça que je vous appelle quand je vous parle... Ira-Irascible. Ira-Irrésistible. Ira-Irrattrapable. Tiens, à propos, vous avez bien reçu mon mot et le bouquet de...

— Oui, merci, mais, moi, les hiéroglyphes... J'ai fait philo, pas... Oh! pardon, madame... Faut dégager, dites, sinon on va provoquer un bouchon.

— Non, je regrette, je ne peux pas me dégager de vous comme ça. J'avais une chance sur dix millions de vous retrouver, je ne vais pas la laisser échapper.

— Je ne comprends pas, vous connaissiez mon adresse, je suis dans l'annuaire...

— Et alors? Ça, ce ne serait pas de jeu. Et je n'ai jamais triché de ma vie. Vous appeler? Trop facile. Vous attendre devant votre porte? Ridicule. Retourner, mine de rien, à la brasserie dans l'espoir de vous y rencontrer? Hypocrite et médiocre. Tout ce que je déteste. Non, j'attendais que le destin passe au vert pour... On prend quelle caisse? Celle de droite, il y a moins de monde... Vous venez souvent faire vos courses ici?

— Non. Et oui, j'habite encore chez mes parents!

— Qu'est-ce que ça veut dire, ça?

— Rien. Ce sont des clichés. Les menus propos échangés dans les bals du samedi soir.

— J'ai l'impression que vous ne vous rendez absolument pas compte de ce qui va vous arriver.

— Ah, bon! Et c'est quoi, on peut savoir?

— On peut. On doit. On va savoir. Pas tout de suite. Tout à l'heure. Je vous attends à la brasserie, maintenant j'ai le droit, à partir de 20 heures... Ça vous va? Plus tard? 20 h 30, alors. C'est qu'à mon âge il y en a pour un moment, moi, je compte plusieurs années, à tout vous raconter, vous expliquer, vous avouer, vous montrer. A commencer par ma nichée. Et pour peu que vous en fassiez autant, vaudrait peut-être mieux ne pas perdre de temps.

— Vous avez raison. Alors, je préfère vous annoncer la couleur. Je joue à la maman. Sans papa. Avec, je ne connais pas les règles. J'ai toujours refusé de les apprendre. Et ça n'est pas aujourd'hui que je vais m'y mettre. Les hommes, très peu pour moi. Les enfants, pas trop. J'ai fait belote. Et rebelote. J'arrête là. Pas besoin qu'on me repasse le plat.

— Dans ces conditions, navré, mais il faut qu'on avance le rendez-vous à 8 heures et quart. Parce que, les hommes, j'en suis un. Les gamins, j'en ai quatre. A nous deux, ça en fera six. Et on n'a pas fini d'en voir le bout.

— Dis, maman, c'est vrai ce que vous avez dit, hier soir, toi et Roland?

— Non! Quoi?

— Tu dis non et tu sais même pas quoi!... Que vous allez vous séparer, tout ça...

— Qu'est-ce que c'est que cette histoire? Ça ne tient pas debout, voyons, Sabrina, c'est pas parce qu'on s'est disputés qu'on va...

— Sauf que vous n'arrêtez pas. Et là, vous l'avez dit.

— Jamais de la vie.

— Arrête, maman, j'ai entendu. Vous en avez parlé. Et j'ai le droit de savoir.

— Il n'y a rien à savoir, c'est non, il n'en a jamais été question. Ne t'inquiète pas, voyons.

— Mais, c'est pas pour ça que je m'inquiète, vous pouvez faire ce que vous voulez, ça m'est bien égal.

— Enfin, Sabrina, tu vas pas te mettre dans des états pareils pour rien. Il n'y a rien. Il ne s'est rien passé. Tout baigne.

— Tu le fais exprès, maman, ou quoi? Je te parle sérieusement. Si vous divorcez, faut me promettre...

— Te promettre quoi, c'est tellement idiot...

— Non, c'est pas idiot, c'est grave. Si vous divorcez, il faut me promettre que je resterai avec...

— Avec moi, ma puce, c'est ça?... Non? Avec papa alors?

— Sûrement pas. J'en ai marre de lui.

— Marre de ton père! Comment tu peux dire une chose pareille?

— Je vais me gêner! Marre de lui. Marre de sa pétasse. C'est avec Éric que je veux rester. Je lui en ai parlé. Il est d'accord.

— Tu lui en as parlé?

— Évidemment! Faut bien qu'on prenne nos dispositions.

On ne peut pas dire qu'ils se disputent plus souvent qu'avant, Mamiène et Roland. Ou plutôt si, mais il ne la cherche plus, c'est elle. Elle lui a piqué son rôle et ses scènes depuis ce fichu cocktail. A elle de jouer les emmerdeuses, les jalouses, les exigeantes à présent. Visiblement ailleurs, lui s'est mis aux abonnés absents. Du coup, elle le cherche, elle le surveille constamment. Elle guette, elle suscite, elle interprète la moindre de ses intonations:

— Pourquoi tu me parles sur ce ton, Roland? Si je t'énerve à ce point-là, t'as qu'à...

— Quel ton? Tu me demandes à quelle heure je rentre, je te réponds: J'en sais trop rien, et tu me...

— Tu n'as pas dit: J'en sais trop rien... T'as dit: J'en sais rien, c'est très différent!

— La barbe, écoute, Mamiène, tu m'emmerdes!

— Et voilà! Si je ne peux même plus te demander à quelle heure tu penses rentrer sans que tu te mettes à m'insulter, c'est bien la preuve que...

— Que quoi ?

— Tu sais très bien et qui et quoi.

— Tout ce que je sais, c'est que j'en ai marre, mais alors ras le bol, tu entends, Mamiène, de tes soupçons, de tes accusations. Tout juste si tu ne me reproches pas le pain que je mange.

— Oui, ben, ça, parlons-en ! Qui c'est qui fait tout tourner partout, rue de Grenelle, à Montfort-l'Amaury, à Saint-Tropez, les maisons, les gardiens, Tonette, les femmes de ménage, les jardiniers, la bouffe, tout, tout, tout ! Y compris...

— Mon cabinet peut-être ? C'est vrai, j'oubliais, je n'étais jamais qu'une petite frappe ramassée dans le ruisseau quand tu m'as installé dans mes meubles en poule de luxe. Un gigolo qu'on emmène dîner en ville après lui avoir appris les bonnes manières : Faut croiser ses couverts dans son assiette entre deux bouchées, voyons, chéri, et pas les poser en tenailles, le manche sur la nappe, c'est d'un vulgaire !

— N'empêche !

— Ça oui, n'empêche ! N'empêche que ça me coûte la peau des fesses, ton foutu train de vie. Je paye dix fois plus que ma part et celle d'Éric, moi, ici...

— Ah, parce que tu comptes en parts, maintenant ? Tu me prends pour une feuille d'impôts, c'est ça ?

— Non, pour un tiroir-caisse flanqué d'un inspecteur. Je ne peux plus m'acheter une cravate sans que tu me soupçonnes d'avoir piqué dans le compte commun. Ça devient invivable, je vais te dire. Alors, pour ce soir, la réponse, c'est : tard. Je rentre tard. Très tard. Le plus tard possible. Là, t'es contente ? Je ne voudrais surtout pas troubler ton doux tête-à-tête avec ta calculette.

Qu'est-ce qu'elle a, Marie-Hélène de Ville d'Avène ? Elle, si souveraine, si généreuse, si moderne dans ses rapports avec les hommes, avec l'argent, elle est en train de faire une fixation sur le fric. Son fric à elle, qui le lui pompe ? Son fric à lui, à qui il va ? L'amour, quand on en reçoit en veux-tu en voilà, quand vos actions s'envolent, ça n'a pas de prix, on ne compte pas : Ce qui est à moi est à toi. L'amour, quand on en manque, quand vos actions s'effondrent, ça s'évalue au centime près : C'est moi, c'est pas toi, qui ai payé le loyer, le téléphone, l'eau, le gaz, l'électricité pendant dix ans ! Plus la bagnole. Plus la nourrice. Plus... J'ai fait le compte, tu me dois tant. Amour-argent, on surveille le cours du change. Ça monte et ça descend. Je donne plus que je ne reçois. Tu ne m'aimes plus ? Tu me le payeras !

Parce qu'il aime ailleurs, elle le sent, elle le sait, elle le voit. A quoi ? A une certaine excitation vite exaspérée dans la journée et, la nuit venue, parfois, à une espèce d'emportement muet, de nervosité distraite dans sa façon de la désirer, de la caresser, de l'aimer. Au début, ce regain de passion l'avait rassurée, euphorisée. Sûr qu'il n'y avait rien. Personne. Elle se faisait des idées.

Et puis un matin, à nouveau, tenaillée par le doute — d'accord, c'est un cliché, mais ça dit bien ce que ça veut dire —, elle appelle, pour essayer de lui tirer les vers du nez, cette garce de Zaza. Pas si garce que ça, après tout Mamiène ne s'est pas gênée pour lui parler sans lui en parler, de la petite amie de David. Cette fausse garce de Zaza, donc, n'y est pas allée de main morte :

— Roland et Isa ? C'est ce qu'on raconte, oui, mais ne t'en fais pas, va, c'est une hystérique... Il en reviendra. Et d'abord, rien ne prouve que... A moins qu'il ne se déchaîne au dodo... Mauvais signe, ça, contrairement à ce qu'on croit. Signe qu'il est en manque d'une autre, en état de boulimie amoureuse.

Elle panique, là, Mamiène. Enfin, c'est pas possible. Il n'a jamais manqué d'appétit, son Roland, et sa goinfrerie actuelle ne signifie pas que... Qu'est-ce que ça peut signifier ? Et si elle avait raison, Zaza, si... A partir de là, chaque fois qu'il fait mine de s'approcher, elle résiste, et puis cède, ne sachant plus sur quel pied danser.

C'est le gros malaise. Jusqu'au jour où, la sentant raidie sous sa bouche, sous ses doigts affolés, il a arraché, en ouvrant grand les yeux, son masque d'amour. Masque d'amour, masque de mort... Visage ou rajeuni ou vieilli, lissé, figé, durci, creusé, aspiré par cette quête attentive, cette écoute intérieure du plaisir. Visage méconnaissable et pourtant reconnaissable entre tous, à chacun le sien, toujours le même.

Il a ouvert tout grand ses paupières en fente, à peine entrebâillées sur un mince filet de regard, un regard en granit, il s'est ressaisi et il s'est détourné d'elle en murmurant : Oh, pardon ! Comme s'il était entré sans frapper, comme s'il ne s'attendait pas à la trouver là... Ou peut-être aussi... Allez, ne panique pas, ma fille... Peut-être, tout simplement, pour s'excuser, oh ! pardon, de s'être imposé à elle, de n'avoir pas senti ses réticences, sa gêne, son angoisse.

Vous me direz : En voilà des histoires ! Qu'est-ce qu'elle attend pour lui demander si, par hasard, il n'en aurait pas une, d'histoire. Ce serait peut-être plus simple, non ? Ah ! parce que vous croyez peut-être qu'il va lui répondre : Une histoire, moi ? Oui, bien sûr ! Je ne t'ai pas raconté ? Où avais-je la tête ?

C'est mal le connaître.

— Les enfants, écoutez-moi... Virgile, arrête d'embêter M'bokolo... Laisse-le manger ses Choco-pops tranquille. Il est déjà assez maigre comme ça. Un peu de silence, je vous en prie... J'ai quelque chose à vous dire... Vous savez, la belle-mère dont je vous avais parlé il y a déjà un moment. Finalement, ça ne s'arrange pas. Maman préfère la garder pour elle. De toute façon, elle ne parle pas un mot de fran-çais, que l'allemand, et comme vous avez espagnol en deuxième langue... Alors, j'ai cherché de mon côté et j'en ai trouvé une autre. Hypersympa. Elle s'appelle Irène. Elle est prof. Et elle vient passer l'inspection ce soir. Tout le monde sur le pont à 20 heures pétantes. Mains lavées, cheveux brossés... oui, bon, O.K., pas tes nattes afro, M'bokolo... Arrête de tirer dessus, Virgile, t'entends? Il est infernal, ce gosse, aujourd'hui... Et jeans propres. Lê-Xuân n'a classe qu'à 10 heures. Elle mettra une machine en route après la vaisselle du petit déj. Virgile, arrête, je t'ai dit! Et toi, t'arrêtes aussi, Joao, compris?... Bon, si c'est tout l'effet que ça vous fait, ma nouvelle, je la remets dans ma culotte et je vais bosser. M'bo, n'oublie pas l'argent de la cantine... Dans le vide-poche de l'entrée... Vous serez bien sages, bien gentils, ce soir, hein, promis?

— Abi, écoute, faut que je te parle. Tu sais, monsieur Tulipes, celui du bouquet, oui. Finalement, je crois que ça pourrait s'arranger. Il est d'accord pour jouer au papa et à la fifille avec toi. Remarque, ça tombe bien. Des enfants, il en élève déjà quatre. Mais, bon, une petite femelle de douze ans, bio et caucasienne, ça manquait à sa collection. Superbe, paraît-il. Très variée. Très bien restaurée. Il m'a invitée à aller la voir, ce soir, chez lui. Et si elle est aussi chouette qu'il le dit, je t'y emmène dimanche, promis!

Eh oui! Ils se sont revus, Irène et Bernard. Ils se sont plu : Toi et moi, on est pareil. Mêmes combats, mêmes parcours de la Bastille à la Nation. Et ils ont décidé — T'es sûre? t'as bien réfléchi? — de faire un bout de vie ensemble. En bons petits soldats de la révolution culturelle. En compagnons d'armes. Havresac au dos. Pas à terre. Ça, jamais! Promis.

Pauvre Mamiène, elle ne se reconnaît plus. Qu'est-ce qui lui arrive, grand Dieu? Qu'est-ce qui lui est tombé dessus? Bon, allez, ma grande, suffit comme ça, je vais essayer de te tirer de là. Tu veux vraiment savoir s'il aime ailleurs, ton connard?

Alors, allons-y. Il est 2 heures du matin rue de Grenelle. Vous êtes couchés, côte à côte, deux gisants. Il roupille, tu rumines. Et voilà que le téléphone se met à sonner. Il répond, encore tout ensommeillé, et — tu as vu la scène cent quatorze mille fois à la télé — il s'empresse de baisser le son :

— Oui, c'est moi... Qu'est-ce qui se passe ?... Mais, je t'avais dit de ne jamais m'ap... Quoi ! Je te crois pas... Mais t'es complètement folle... Oui.. Bon, j'arrive.

— Qu'est-ce qu'il y a, Roland ? Qui c'est ? Où tu vas ?

— Nulle part. C'est rien. Une cliente... Elle a un pépin. Rendors-toi, j'en ai pour une heure à peine.

Total, il y passera le reste de la nuit. Tu y es, là ? T'as compris ? Non ? Toujours pas ? Tu le fais exprès ou quoi, Mamiène ? Tu ne vois pas qu'elle lui a fait un chantage au suicide : Si tu ne viens pas immédiatement, j'avale le reste du flacon ! Il a marché, bien sûr ! Il a couru, ventre à terre, la consoler, la rassurer, la cajoler : Mon Isabelle, ma jolie, si délicate, si démunie, si fragile, ma violette, mon agnelle, à peine capable de tenir debout sur ses pattes quand je ne suis pas là pour l'entourer, la ramasser dans mes bras. Avec elle, il a l'impression de tailler XL. Avec toi, il ne sort pas du S. Et quand je dis small, ce serait plutôt du garçonnet.

Tu n'as pas l'air convaincue. Oui, oui, je vois à quoi tu penses. A son travail au tapis. Là, il est très fort, c'est vrai, mais grâce à qui ? C'est encore toi, toujours toi, qui l'as révélé à lui-même sur ce plan-là. D'ailleurs, ses scènes de jalousie, ses fureurs, ses explosions de colère, qu'est-ce que ça traduisait d'après toi ? Le désir de s'affirmer, de se rebeller contre l'autorité. La tienne. Celle du fric, de la bonne adresse, du savoir-vivre et des relations. Celle aussi, celle surtout, que donne l'expérience amoureuse. Tu ne me crois pas ?

Si, si, je veux bien vous croire... Franchement, vous auriez pu me le dire avant, non ? Que faire à présent ?

Alors, ça, Mamiène, je n'en sais rien. Du temps de ta mère, on ne pouvait pas ouvrir un magazine féminin sans se voir conseiller — Comment ramener au bercail un mari en cavale — des modèles de guêpières assorties à des déshabillés coquins, des marques de produits de beauté et des recettes de cuisine aphrodisiaques. Que faire ? Faire la vamp et lui préparer un bon petit dîner aux bougies. Avant de le préparer, lui, sur le canapé du salon à grimper au septième ciel de lit.

Traduction : Les gosses, les ranger dans leur chambre ou les parquer chez des copains. Les grands, les envoyer en boîte et l'aînée, elle est déjà mariée, lui téléphoner pour lui demander de ne pas appeler. Faire le ménage à fond, les courses en grand, un soin en profondeur. Tasser ses soixante-huit kilos avachis, fripés par deux fausses couches et trois vraies, dans des dessous affriolants. Se peinturlurer la tronche façon Picasso. Et au bruit de sa clé dans la serrure, s'avancer vers lui, une main sur la hanche, une fleur à la bouche, en ondulant de la croupe.

Ne pas oublier de se munir d'un flacon d'eau de Cologne des fois qu'il tomberait dans les pommes de stupéfaite horreur. Là, le ranimer et, avant qu'il ait eu le temps de courir se réfugier dans les toilettes, lui verser un triple whisky sans eau ni glace. En prendre un aussi, pendant qu'on y est. Du moment qu'on a l'ivresse... Celle-là est garantie. L'autre ne l'était pas. D'habitude, ces attaques éclairs se terminaient effectivement sur le divan et au lit. Pas ensemble. A part.

Maintenant, autres temps, autres mœurs, de *Cosmo* à *Biba*, c'est : Ce salaud est parti en vacances avec sa secrétaire ou sa shampouineuse ou sa psy. La vengeance en dix leçons. Ça va du coup de fil passé de chez lui, il vous a laissé ses clés, à...

L'horloge parlante de New York ou de Tokyo, oui, on connaît, vous ne pourriez pas trouver autre chose ? Attendez... Attendez ! Ça y est, j'y suis ! Je sais exactement ce que je vais faire.

122

Quoi donc?

Ce que j'ai l'habitude de faire quand je ne suis pas complètement tourneboulée par les rebondissements minables de ce roman à la noix.

C'est-à-dire?

Me faire plaisir!

— Alors, il a une histoire, ton Roland? Avec qui? Une actrice?... Tiens, je reprendrais bien un morceau de cake... Dé-li-cieux! Vous me donnerez la recette, ma bonne Tonette. Isabelle quoi? Jamais entendu ce nom-là. Ça vous dit quelque chose à vous?

Elles tiennent un conseil de guerre, présidé par Mamie-Couette, en prenant le café, dans la vaste cuisine de la rue de Grenelle, ces dames de la famille.

— Ouais, elle est encore assez connue. Même que j'ai vu sa photo dans *Gala*.

— Alors, elle est comment?

— Pourquoi tu demandes à Tonette, maman? Moi, je l'ai vue, de mes yeux vue, à ce dîner-buffet de merde. Elle est jeune, elle est jolie, bien faite...

— Refaite. Le nez et le reste, croyez-moi, madame Couette. C'est peut-être ça qui plaît à m'sieur Roland, remarquez!

— Ça se pourrait bien, Tonette. Mon gendre préfère l'art à la nature. C'est d'ailleurs comme ça que tu l'as séduit, hein, Mamiène? En lui demandant de rectifier la courbe de tes fesses.

— Mais non, maman, c'était un prétexte, voyons! Une façon de le... Maintenant, va falloir que je trouve autre chose.

— Enfin, Mamiène, tu ne vas tout de même pas t'accrocher à ce cavaleur de crotte qui se fâche pour un rien, qui me salope tout dans la maison, qui change de chemise trois fois par jour, qui...

— Ah, bon! Depuis quand?

— Je sais pas, moi, depuis cinq, six semaines.

— Pourquoi tu ne me l'as pas dit?

— Parce que tu me l'as pas demandé. Mon boulot, un boulot de forçat, c'est bien le dernier de tes soucis! Toi, tu te contentes d'allonger l'argent du ménage. Et encore! Avec un élastique. T'es devenue d'un rat, c'est pas croyable : Comment ça, t'as plus de sous, Tonette? Je comprends pas. Où ils sont passés les cent cinquante francs que je t'ai donnés la semaine dernière?... Mais pour le reste, ma triple journée...

— Qu'est-ce que tu racontes? voyons, Totone, la triple journée! Et puis quoi encore?

— Oui, parfaitement. Chez moi, d'abord. T'as peut-être pas remarqué, mais on fait appartement à part, encore heureux! Si j'avais pas insisté, je t'aurais eu sur le dos vingt-quatre heures sur vingt-quatre. Au bureau ensuite. Vous saviez, ça, madame Couette? J'ai été obligée d'ouvrir une agence de détective privé uniquement consacrée aux affaires de Madame : Tonette, mon foulard Hermès a disparu... Non, pas celui avec les ancres... L'autre, là, dans des dégradés de rouge-orange. Je suis sûre qu'il s'est tiré avec ma ceinture Saint-Laurent, tu sais la cloutée... Je les mettais souvent ensemble. Tu peux m'organiser une filature? Ils ont dû aller se cacher quelque part.

— Alors là, tu pousses, Tonette! Il te faut dix minutes, pas une de plus, pour me les retrouver.

— Et pour m'occuper de la maison, deux cent cinquante mètres carrés sur trois étages, avec une femme de ménage seulement deux fois par semaine, il me faut combien? Tu te rends compte un peu de ce que ça représente, les lits, les poubelles, les courses, la cuisine, la vaisselle, le repassage, la machine à laver, à peine elle est pleine, qu'il faut la vider pour recommencer. Sans parler des enfants, madame Couette. Gilles, mon bel Américain, son aîné à m'sieur Roland, il va débarquer sous peu incessamment. Sabrina, elle est encore plus coquette que sa mère. Et Éric qui doit se changer de la tête aux pieds chaque fois qu'il les met ici, sous prétexte que Madame Balmain ne peut pas être vue dans le quartier avec un gamin griffé Prisu.

— Mon Dieu, c'est vrai, cet amour de petit, je n'y pensais plus! Trop gâté par ses parents, dommage. Offrir une deuxième belle-mère, plus un beau-père tout neuf, plus deux tiers sœurs et un tiers frère à un gosse de huit ans, c'est peut-être un peu beaucoup, non? Ils n'apprécient encore pas tellement à cet âge-là.

— Voyons, madame Couette, si m'sieur Roland s'installe avec sa starlette hystérique, ça reviendra au même pour Éric. Simple changement d'adresse de week-end. Et nouvelle belle-mère à la clé. Ici, terminé. Bonsoir maman-Mamiène, bonjour maman-Isabelle. Remarquez, elle ne s'en apercevrait même pas, votre fille : Où il est encore passé Éric? j'ai fouillé partout, dans ma chambre, dans mon dressing, fais quelque chose, Tonette, il me le faut absolument pour aller à ce vernissage de dessins d'enfants.

— Arrête, tu veux, Tonette! A quoi tu joues là? A affoler maman, en lui laissant entendre qu'on est au bord du divorce aussi, toi et moi? Ce qu'il y a, c'est que, contrairement à ce que tu crois, tu t'embêtes, tu es sous-employée, tu n'as plus de centre d'intérêt. Alors, j'ai pris une décision. C'est la solution à tous nos problèmes. Tonette, je vais te faire un enfant. A toi, maman, un petit-fils. Un tiers et un demi-frère pour Éric et Sabrina. Et...

— Ouais, ben, sans moi! Trop vieille. Je suis ménopausée depuis plus de quinze ans. Même en Italie, ils refuseraient de m'engrosser. Bon, allez, c'est pas tout ça. J'ai autre chose à faire qu'à écouter les divagations de cette folle. Au cas où vous décideriez de l'interner, madame Couette, je vais aller préparer ses affaires. Remarquez, elle a pas besoin de grand-chose. Ils vont lui passer la camisole de force vite fait.

— Très bien, ma bonne Tonette. J'appelle le S.A.M.U. et je vous rejoins... Elle a raison, Mamiène, où t'as la tête? C'est pas sérieux, dis?

— Si, très. D'ailleurs, ça y est déjà. Je ne suis pas absolument sûre, mais dès le lendemain du fameux coup de fil au milieu de la nuit, j'ai arrêté la pilule. Paraît que ça fertilise. Et comme il a été pris d'une petite fringale, Roland, l'autre soir, devant la télé, il a cru la voir passer dans une pub, son Isa, mais c'était pas elle... Bref, ça tombait bien, en plein milieu de mon cycle ! Alors, avec un peu de chance, c'est pas un bébé que je vais avoir, c'est deux. Des jumeaux. Faux, je préfère. La fille et le garçon. On les habillerait pareil. Ce serait génial, non ?

— Tu divagues, ma parole ! Des jumeaux ! Et pourquoi pas des triplés pendant que tu y es ?

— Oui, au fond, t'as raison, un ça suffit.

— Surtout pour ce que tu comptes en faire. Un rattrape-mari. A part ça, franchement, t'en as plus tellement l'usage, si ?

— Si, voyons, maman ! Se voir préférer une fille de vingt-cinq ans, ça file un sacré coup de vieux, je vais te dire. Et, bon, ça vaut tous les liftings, tous les massages, une maternité à mon âge. Tu te rends compte un peu, pendant que mes copines calculeront les coefficients du bac, moi, j'en serai encore à compter mes biberons. Enfin, moi ou Tonette, c'est pareil. Tiens, te revoilà, toi ? Alors, ça avance, cette petite valise ? T'as plus que trente-huit semaines, sept jours et dix heures pour me la préparer, je te signale. Et pour me tricoter de la layette. En bleu, cette fois. Je suis sûre que ce sera un garçon.

— S'il ressemble à sa maman, il va être drôlement mignon, avec ses belles petites cornes. Moi, je le verrais plutôt en jaune, ton rejeton. Tiens, ça me fait penser, il vient d'appeler, m'sieur Roland. Pour dire qu'il s'en allait. Il prend l'avion en fin d'après-midi. Un congrès. A Kyoto ou Acapulco, un truc comme ça. Il rentre pas avant... Je sais plus quand...

— Ça alors ! Pourquoi tu ne me l'as pas passé ?

— Parce qu'il a pas voulu : Non, non, pas la peine ! Vous l'embrasserez pour moi... Allez, viens dans mes bras, ma belle, mais je te préviens, pour la petite graine, si celle-là ne prend pas, vaut mieux que tu passes chez Vilmorin. Moi, j'ai pas ça en magasin.

Elle est adorable, Me Carpentier, l'avocate de S.O.S. Papa. Une petite blonde avec les yeux qui frisent, les cheveux aussi. Un soleil. Celui de midi. Ça tape. A peine Alain s'est-il assis, très intimidé, en face d'elle :

— Marié ?

— Heu... Enfin, c'est-à-dire... Pas exactement, mais...

— Père naturel. Combien d'enfants ?... Une fille, un garçon. Cinq et deux ans... Reconnus à la naissance... Vous vivez avec la mère ?... Oui ou non ? Non. Sa profession ? La vôtre ?... Vous gagnez combien ? Je n'ai pas besoin du chiffre exact. Simplement un ordre de grandeur... Et elle ?... Bon, alors, qu'est-ce que vous voulez ?

— Je voudrais bien avoir le droit de... mais comme je n'en ai aucun !

— Qu'est-ce que vous en savez ?

— Allô ?... Qui est à l'appareil ? Alain ? Oui, c'est moi, Sylvie, qui veux-tu que ce soit ? Non, la jeune fille au pair m'a quittée et je voulais justement te... Comment ça, tu refuses, tu ne sais même pas ce que je vais te demander... Qu'est-ce que t'as à aboyer comme ça ?... T'as bu ou quoi ?... T'es ivre ? Oui, ben, tu rappelleras quand... Ivre de colère et de joie ? On peut savoir pourquoi ?... T'as vu un avocat ! Ce que tu peux être con, mon pauvre Alain. Autant jeter ton argent par la fenêtre. Tu ne crois tout de même pas que ça se plaide, les droits d'une mère célibataire sur ses petits. T'es rien pour eux, t'entends ! Oui, parfaitement, je te le répète depuis des années et pour une bonne raison, j'ai raison... Je m'en fous, de ce qu'il t'a dit, ce mec de merde ! Ça, pour vous tenir les coudes entre hommes... Ah ! c'est une nana !

M'étonne pas! Encore une femme qui déteste les femmes. Et elle ose prétendre, cette salope, que tu as... Le droit de visite, le droit d'hébergement pendant le week-end? Et puis quoi encore?... Le droit de... Répète, je comprends pas... De résidence? Qu'est-ce que ça veut dire?... Qu'ils habiteront avec toi, chez toi, du 1er décembre au 31 janvier? C'est ça, compte là-dessus et bois un verre d'eau fraîche, ça te dessoûlera... Non, je regrette, il n'est pas question de se voir pour en discuter... Ni demain, ni jamais... La garde alternée? Tu peux te la mettre où je pense. Et la clé de mon appart avec. Je vais faire changer les serrures... Jamais, je t'ai dit. Et ne t'avise pas de remettre les pieds ici... Si t'essayes, je te préviens, j'appelle les flics. Allez, tchao!

— Alors, cher monsieur, vous avez parlé à la mère. Elle est d'accord pour la garde alternée?

Complètement snobé par le cabinet, le vrai, pas le réduit de S.O.S. Papa, de Mᵉ Carpentier, au troisième étage d'un appartement bourgeois, cossu, rue Marbeuf, Alain n'a même pas entendu la question : Oh! là là! Mais qu'est-ce que je suis venu faire ici? C'est pas dans mes moyens... Je...

— Je... Excusez-moi, madame, enfin, maître... madame-maître, mais, j'aurais pas dû vous déranger. Je... Je... Votre cachet... c'est combien?

— Mes honoraires. Trois mille francs d'entrée de jeu. Plus douze mille en fin de parcours. Je sais, ça doit vous paraître beaucoup, comparé à une visite chez le médecin, mais quand on engage une procédure...

— Ah! parce qu'on va engager une...

— La première chose à faire, c'est de trouver un appartement. Pas trop loin de celui de la mère. Pour que les enfants puissent rester chez la même nourrice et dans la même école. Alors, vous ne m'avez pas dit, qu'est-ce qu'elle en pense?

— Elle veut rien entendre.

— Ça risque de lui coûter cher. Quand elle rentre tard de son journal, ça doit lui arriver souvent, non, un quotidien du matin, ça boucle tard le soir, qui s'occupe des enfants?

— Ou la jeune fille au pair ou sa mère.

— Ça ne vaut pas la présence d'un papa. On va demander la résidence. Et une pension alimentaire de...

— Attendez, j'y suis pas, là... Il faudrait que Sylvie me verse... Vous n'y pensez pas!

— Elle se gêne, elle, peut-être? Vous lui donnez combien?

— Quatre mille francs par mois, mais bon, elle, c'est une femme... Normal. De toute façon, c'est pas une question d'argent.

— Bon, on verra ça plus tard. En attendant, je vais lui faire un courrier.

— Lui écrire? Pour lui dire quoi?

— Pour lui demander le nom de son conseil, de façon que nous puissions envisager le droit de résidence, etc. Rien que de très banal.

Tu parles! Elle est tombée les bras en croix, Sylvie, quand elle a reçu ça. Et elle s'est relevée, folle de rage et de chagrin, l'écume aux lèvres, les larmes aux yeux. Perdre la garde de ses enfants, pour une mère, aujourd'hui encore, c'est davantage qu'une déchirure, c'est une tache. A son honneur, à sa réputation. Elle va passer pour une pute, une alcoolo ou alors un monstre d'indifférence aux yeux de ses collègues, de ses voisins, des commerçants du quartier. Elle entend déjà les commérages : Si c'est pas malheureux quand même... Comment, vous n'êtes pas au courant?...

— Sab, c'est moi! T'es au courant? Barbie est revenue à la maison. Elle a quitté ton père. Pour de bon.

— Je le savais, qu'est-ce que tu crois? Sauf que

c'est pas vrai. C'est lui qui l'a virée. Il en avait ras le bol.

— De Barbie ? Tu rigoles ! Il s'est roulé à ses pieds, il l'a suppliée de rester, mais rien à faire. Elle a quelqu'un. Et tu devineras jamais qui.

— Oh, ça non ! Elle peut bien avoir qui elle veut, je m'en fiche du tiers comme du...

— Alors là, ça tombe bien, c'est lui. C'est ton tiers... C'est ton frère. L'étudiant américain.

— Gilles ? Mais il vient d'arriver. C'est pas possible ? Quand est-ce qu'ils ont pu... ?

— Dimanche dernier. Ils t'ont ramenée chez toi, elle et Clint. Ta mère les a invités à prendre un verre. Gilles était là. Le coup de foudre. Cloués sur place. Elle pouvait plus bouger ni pied ni patte. Lui non plus. Ne me dis pas que tu n'as rien vu.

— Non, flûte ! Elle m'énervait tellement, Barbie, que j'ai filé dans ma chambre pour plus la voir... T'es sûre au moins... Tu me racontes pas d'histoires ?

— Arrête ! On ne parle que de ça ici. Même que maman l'a engueulée : Tu pouvais pas sévir ailleurs ? Qu'est-ce que tu as à t'acharner contre cette famille ? Tu tiens absolument à l'élargir à la nôtre ? Après qui t'en as ? Après Sabrina ? Elle voulait pas jouer à la belle-fille avec toi, alors, tu lui refiles le rôle de belle-sœur à la place, c'est ça ?... Du coup, on le serait aussi, nous deux. Moi, ça me plairait bien. Pas toi ?

— Non, je préfère garder mes distances. Tante par alliance, c'est mieux. Appelle-moi tata.

Samedi soir. Bientôt minuit. Alain est de garde chez Sylvie. Caro vient de l'appeler. Ils se sont engueulés. Et la voilà qui fourrage dans son frigo à la recherche d'une solution à son problème. Parce qu'elle en a un. Gros comme une maison. Ou plutôt un appart à loyer intermédiaire, un F 4 rue de Tolbiac, assez grand pour eux deux et les trois enfants. Ils ont quarante-huit heures pour se décider. Ça leur reviendrait à un peu moins de quatre mille balles par mois chacun. Avec les charges. Caro, sa clinique, question trajet, pas terrible... Remarque, tu pourrais prendre ta voiture... Éric, évidemment il faudrait le changer d'école. Embêtant. Mais le cours préparatoire du coin a plutôt bonne réputation. Et pour aller chez son père il n'aurait qu'un changement à...

Oh! et puis merde, c'est un de trop! Pourquoi est-ce que c'est moi, enfin, lui, nous, quoi, qui devrions faire les frais d'un déménagement au diable Vauvert uniquement pour permettre à Alain de récupérer ses gamins? Même pas dit qu'il y arrive... Allez, ne te raconte pas d'histoires... Son affaire va passer en référé et, d'après les avocats, deux vieux copains de fac, elle devrait se régler à l'amiable. Très prise par le journal, Sylvie finira bien par accepter la garde alternée. Quinze jours chez elle, quinze jours chez lui. L'essentiel étant que Justine et Romain passent de l'un à l'autre sans changer de maîtresse ni de nourrice. C'est vrai qu'ils sont encore petits, les pauvres chéris.

La bouche pleine d'un reste de gâteau de riz, Caro a un sourire attendri, à peine ébauché que déjà déformé, une affreuse grimace, par le courant force du remords. Il n'est pas tellement plus grand, Éric. Et l'obliger, lui, à changer de cadre, de coin, à perdre ses repères, ses copains pour fonder une nouvelle famille dont il ne veut ni cru ni cuit...

Seulement voilà, si lui n'y va pas, toi non plus, ma vieille. Tu restes enfermée ici, rue d'Athènes, entre ces quatre murs suintant la tristesse et la rancœur de l'après-Roland, en attendant l'après-Éric, au lieu de tout recommencer ailleurs avec Alain. Tu ne vas tout de même pas sacrifier ton bonheur à un gamin qui te le reprochera le jour où, se sentant coupable à son tour, il va t'abandonner, échouée sur le sable, empêtrée dans tes ailes de mère pélican frustrée.

Enfin, c'est complètement fou de te mettre dans des états pareils. Les enfants du divorce, tu sais combien il y en a? Près de deux millions. Dont la moitié est quasi orpheline. Privée de celui qui n'a pas la garde. Le père, dans l'immense majorité des cas. Ce n'est pas celui d'Éric. Lui, son père, il le voit...

Et si, à la faveur de ce déménagement à l'autre bout de Paris, Roland essayait de le prendre rue de Grenelle, il m'en a assez souvent menacée, le salopard. Impossible ? Comment ça ? Alain va bien avoir la garde alternée de deux bouts de chou automatiquement confiés à leur mère d'habitude. Le métier de sage-femme comporte des astreintes lui aussi, et si on lui demandait son avis, sûr qu'Éric dirait oui.

Tu te montes la tête, là, ma grande. La garde jointe, Alain ne l'obtiendra qu'avec l'assentiment contraint et forcé de Sylvie. Et ça, moi, plutôt crever. Si encore Alain savait s'y prendre avec Éric, mais il a beau dire, il ne pense qu'aux siens. T'as vu un peu ce qui s'est passé cet après-midi, quand on a visité l'appartement avec les enfants ?

Ils sont arrivés — Tiens, c'est là ! — devant un immeuble neuf, propriété d'une compagnie d'assurances, les deux petits amusés, excités, sur les talons : Elles viendront aussi, mes poupées, dans la nouvelle maison, dis, Caro ? Muré dans un refus buté, Éric, lui, tire sur sa laisse... Allez, venez, on va prendre l'ascenseur... Qu'est-ce que tu attends, Éric ? Tant pis pour toi... T'as qu'à monter à pied. C'est au quatrième face.

La gardienne leur a ouvert et ils se sont retrouvés dans un living très clair — Vous aurez le soleil le matin —, une chambre attenante donnant sur des arbres, elle aussi. Et côté cour, deux petites pièces nettement plus sombres. Salle d'eau, salle de bains minuscules et grande cuisine tout équipée. Des placards...

Alain approuve de la tête, visiblement ravi. Et Caro, un peu déçue, un peu cafardeuse soudain, c'est bien, mais ça l'est moins que ce qu'elle avait espéré, pose la main sur son épaule comme pour freiner son enthousiasme. Il se dégage, agacé, gêné, et accélère, au contraire.

— Faudra mettre les deux petits ici, à côté du séjour. La pièce est plus grande et puis, comme ça, s'ils se...

— Ici, mais c'est la plus belle de toutes!... Et Éric, alors? Et nous?

— Où tu vas dormir, papa?

— Là. Dans une de ces deux chambres. Éric aura l'autre.

— Et Caro?

— Je ne sais pas, Justine, on verra...

— Comment ça, on verra? C'est tout vu, enfin, Alain!

— Caro, je t'en prie, pas devant les children. On en reparlera plus tard, O.K.?

Pour en reparler, ils en ont reparlé, ça oui, là, à l'instant, au téléphone. A peine Éric est-il allé se coucher, tout tristounet, tout drôlet, que Caro l'a appelé, Alain.

— Non, mais qu'est-ce qui t'a pris? Je fais un geste vers toi, tu t'écartes, offusqué, une petite sténo harcelée par son chef de bureau. Tu distribues les chambres sans me consulter. Tu donnes la nôtre à...

— Pourquoi la nôtre?

— Fais pas l'idiot, tu veux. Celle du devant, c'est celle des parents. On ne va tout de même pas y installer tes gamins sous prétexte que l'inspecteur Sylvie risque de froncer le sourcil en les trouvant logés à la même enseigne qu'Éric. Dans un trou à rat.

— Eux, ils seront à deux dans ce trou, je te signale.

— Ah! parce que nous, on va faire chambre à part, peut-être? A quoi ça rime ces dérobades, tu peux me dire : Et Caro, où elle va dormir, hein, papa? Aucune idée. Mystère complet. Sur le palier, probable! Enfin, je ne comprends pas, va bien falloir qu'ils se résignent au fait qu'on s'aime et qu'on dorme ensemble. Alors, autant le leur dire franchement. De toute façon, ils sentent, ils savent tout et...

— Pas besoin d'être surdoué pour s'apercevoir qu'on couche dans le même plumard, je te signale!

Alors pourquoi dresser un plan d'état-major détaillé : deuxième porte à gauche dans l'entrée, chambre des parents ? Interdiction de stationner entre 11 heures du soir et 7 heures du matin.

— Parce que c'est marqué dans le Armelle Ogier. Les enfants ont une notion très développée du territoire. Pas de flou. Pas de pointillé. Faut que tout soit bien indiqué, bien fléché, bien explicité. A commencer par tes sentiments pour moi. Plus le père est tendre, caressant avec la nouvelle belle-mère, plus il affiche son amour pour elle et mieux ça se passe avec ses enfants.

— Écoute, mon cœur, mes enfants, c'est pas le problème. Ils sont ravis d'avoir deux maisons, ils t'adorent, normal, ils sont tout petits...

— Merci !

— De quoi ? Qu'est-ce que j'ai encore dit ? Non, le problème, de toute évidence, c'est Éric. Il vit ça très mal et si je me dérobe à tes invites amoureuses en public...

— Ah ! parce que le fait de te prendre le bras constitue...

— A ses yeux, je pense, oui !

— Alors, tout ce cirque, c'était par égard pour le mien de gamin ? Pas pour les tiens ? Je te crois pas.

— Les nôtres. Pas les miens-le-tien ! Où tu vas là, Caro ? Moi, je vais te le dire. A la cata. Alors réfléchis. Tu as jusqu'à lundi pour te décider. Moi, en tout cas, c'est oui, je le prends cet appartement. Avec ou sans toi. Quitte à déménager dès que j'aurai trouvé quelque chose de plus petit et de moins cher. Tu es entièrement libre de venir ou pas... Bonne nuit !

Et la voilà, pieds nus dans sa cuisine, qui se beurre tartine sur tartine, plongée dans un abîme d'angoissante, de culpabilisante perplexité. Remarquez, je la comprends. Moi qui ai passé ma vie à m'en vouloir à propos des enfants, j'ai été stupéfaite d'apprendre qu'ils m'en veulent aussi. Mais absolument pas pour les mêmes raisons. Je ne me reproche pas ce qu'ils me reprochent et réciproquement. De toute façon, sur ce point-là, c'est à peu près le seul, le père Freud avait raison. Quoi qu'ils fassent, les parents le feront mal. Alors, autant se faire plaisir, pas vrai, Mamiène !

Le coup de foudre, oui. Ils se sont vus, Gilles et Barbie, et ils se sont reconnus. C'était Lui, c'était le Prince Charmant dont elle rêvait depuis si longtemps. C'était Elle, c'était la Belle au bois dormant qu'il allait réveiller d'un baiser. Il faisait une chaleur à crever. Elle revenait de Deauville — sinistre, ce week-end ! — avec Clint et Sabrina. Mamiène les avait invités — Vous n'allez pas repartir comme ça ? — à boire quelque chose. Clint hésitait... Et puis : Tu es gentille, mais non, on va rentrer... Barbie, tu viens ?

Elle s'est décrochée du regard de Gilles qui la tenait au bout de sa ligne sans la lâcher des yeux. Elle a suivi, docile, un chien qu'on siffle, un vieux jeune homme en chemise Lacoste, un peu ridicule, soudain, avec sa nuque ridée, ses coudes fripés. Ils sont remontés dans sa voiture en silence. Un silence pesant. Une chape de plomb. Et arrivés devant leur porte : Tiens, monte, je n'ai pas la place de me garer... Elle a attrapé son sac de voyage sur la banquette arrière. Elle a ouvert la portière. Debout sur le trottoir, elle s'est redressée. De toute sa hauteur. Elle a traversé la rue. Et elle est partie. Elle est retournée chez elle, chez Irène, sans même repasser chez lui.

Un coup de foudre, suivi d'une terrible averse. Ils se sont revus, dès le lendemain, pour déjeuner à la terrasse d'un café, Gilles et Barbie. Et ils ne se sont pas reconnus. Elle s'attendait à retrouver un beau garçon, sorti d'un spot télé pour un costume trois-pièces en lin blanc cassé. Et c'est un grand garçon pas rasé, en short et en chemise à fleurs style Miami, qui s'est levé pour lui faire signe, d'un geste hésitant, surpris de voir arriver au lieu de la sauvageonne ren-

contrée la veille, rue de Grenelle, une shampouineuse endimanchée, un arbre de Noël scintillant de
bijoux en toc et monté sur talons aiguilles.

Elle n'avait pensé qu'à lui en essayant de se faire
belle. Lui, ne pensant qu'à elle, avait négligé de se
changer. Elle le voulait à la mode. Un cover-boy. Il la
désirait au naturel. Telle qu'il l'avait découverte dans
la touffeur de l'été, en mocassins et pantalon, avec sa
queue de cheval, ses joues d'enfant et son petit nez
luisant de sueur. Une college girl.

Il me juge mal, c'est clair. Et c'est culotté, parce
que lui dans le genre étudiant attardé... Qu'est-ce
qu'il a à fixer mes mains... Ah, merde, c'est pas vrai !
Mon faux ongle, là, sur la nappe... Morte de honte,
elle va pour le ramasser... Et lui, attendri, bouleversé, envahi par une onde de passion retrouvée,
avec son adorable accent anglais :

— Montre ton doigt... Mais, tu te ronges les
ongles, *darling* ! Donne-la-moi, cette petite menotte
de gamine qui veut jouer à la dame.

Il la porte à ses lèvres et elle se rétracte, confuse,
ulcérée :

— Arrête, tu vas me piquer. Tu as de la barbe. T'as
l'air de sortir de ton lit...

— Et toi d'une vitrine de jouets, rayon poupées
Bar... Ah ! c'est donc pour ça qu'on t'appelle...

— Barbara. Je m'appelle Barbara et je t'interdis
de...

— Pas la peine, *my dearest love*, Barbara, moi,
j'adore, la vraie, la... Toi. Écoute, tu sais ce qu'on
devrait faire ? Le déchirer, ce brouillon de rencontre.
Et tout remettre au propre, pour moi. Au net pour
toi. Je serai, tu seras, ce que l'autre souhaite qu'il
soit. Digne d'un conte de fées... Tu les aimes ? Moi
aussi. Et le nôtre, crois-moi, ce ne sera pas du
cinéma. On va l'écrire ensemble. Pas à pas.

Ils ont commencé le soir même. En traversant le
pont des Arts étroitement, tendrement enlacés. La
lune était au rendez-vous. Son reflet sur l'eau
sombre de la Seine, c'était d'un romantisme fou. Ah !

je vous en prie, effacez-moi ce petit sourire narquois, voulez-vous ? Un roman rose, ça ? Éditions Harlequin ? Pas du tout ! L'étude d'un phénomène de société. Mini, mini, d'accord. S'agit pas d'un irrésistible raz de marée, ce retour aux valeurs anciennes... Encore qu'aux États-Unis, le politically correct, la hantise du harcèlement sexuel obligent les mecs à demander l'autorisation de leur partenaire — consentante, attention — à chaque étape du jeu de l'amour et de la trouille : C'était bon, ce French kiss... Maintenant, tu permets que je t'embrasse dans le cou ? Merci... Et ma main, je peux la poser sur ton sein... T'es sûre, tu ne m'en voudras pas ? Même cette bonne vieille reine Victoria n'en demandait pas tant à son Albert adoré.

Bon, alors, où j'en étais là ? Ah, oui, ils s'enlacent, ils s'embrassent, ils se livrent l'un à l'autre, Gilles et Barbie. Par bribes, par ricochets : Non, moi, les filles... Très peu... Trop dangereux aux States. Et toi, qu'est-ce que tu foutais avec ce vieux schnock, ce quinqua toquard de Clint, dis, *my love* ? T'espérais quoi ? Qu'il se sépare de Première épouse pour toi, toi seule ? Fini, ça, terminé. On est ouvertement polygame, là, aujourd'hui. Les Anglais ont un mot pour ça, l'ex, pas si ex que ça, de ton mec, tu l'appelles ta *step-wife*, ta belle-femme. On additionne, on multiplie, on divise rarement, on soustrait encore moins...

— Si, regarde Irène, sorti d'Abi et moi, elle a fait le vide... Maintenant, c'est le trop-plein d'accord, mais pendant des années...

Et Irène... Et Roland... Et sa mère à lui. Et son beau-père aussi... Elle a perdu ses parents. Il a paumé les siens. Après leur divorce, on l'a mis en pension. Il les a retrouvés, mais séparément... Dans le désordre. La frustration. Le doute. La confusion :

— Regarde Éric, comme il est malheureux. Remarque, on n'a pas le même caractère, j'étais un peu plus vieux... Et, c'est vrai, je n'en ai pas tellement souffert... N'empêche !

Accoudés au parapet, serrés l'un contre l'autre, ils

ont regardé en silence le long fleuve tranquille — Je me demande si elle pense au film — et la perspective d'un avenir miroitant dans le lointain étoilé d'une belle nuit d'été. Elle s'est tournée vers lui :

— Tu sais ce que je voudrais, Gilles... Non, j'ose pas te le dire...

— Moi, si. Moi, j'ose... Je veux fonder une famille, une seule, une vraie. Pas une famille à la con, pas une famille à tiroirs, celui-là, je le referme, va pas te pincer les doigts. Son histoire, à ma famille, elle commencerait par « il était une fois »... Lève la main, Barbara, et répète après moi : Je jure...

Ils se sont juré amour et fidélité. Jusqu'à ce que la mort les sépare. Et même au-delà. Pour toujours et à jamais. Et ils se sont promis, comme dans les contes, de vivre heureux et d'avoir beaucoup d'enfants.

— Combien, tu crois, Gilles, mon chéri ?

— Ben... Comme on ne sera jamais que deux pour... Pas trop quand même... Sept ou huit. Neuf, maxi. O.K. ?

— Non, tu te trompes, là, Sabrina. A nous trois, des frères et sœurs, ça nous en fait...

— Arrête, Abi ! C'est impossible à calculer d'un coup. Trop compliqué. On reprend. Chacun son tour. On additionne et après on soustrait ceux qu'on a en commun. D'abord, toi, Éric. Toi, t'as moi, plus Gilles, plus les deux d'Alain, ça fait quatre. Maintenant Abi. Là, c'est facile, t'as les quatre du copain de ta mère.

— Plus Barbie...

— Non, c'est ta tante.

— Oui, mais c'est ma sœur quand même.

— O.K., cinq. Et moi, j'ai Éric, j'ai Gilles... Plus le bébé, quand il sera là, ça m'en fera trois.

— Si on le compte, lui, ça m'en fait un de plus, dis donc, Sab, ça m'en fait cinq aussi. Pareil qu'Abi.

— Sauf que les miens, ils comptent double.

— Pourquoi ? Il y a pas de raison ! C'est pas parce qu'ils sont adoptés qu'ils sont différents.

— Non, mais ils sont différents quand même.

Irène est allée passer le week-end chez Bernard, avenue de Breteuil. Et Abi en a profité pour squatter la rue de Grenelle. Comme Éric est là, lui aussi, les filles l'ont invité à faire tanière dans leur chambre.

— Quoi, quand même ?

— Ils sont quand même pas pareils que nous, c'est tout.

Pas pareil... Pas pareil que quoi ? Pas pareil que les frères et sœurs des autres enfants de sa classe. Et ça, pour Abi, si conformiste, on l'est tous à cet âge-là, pour Abi qui se sent déjà très à part vu qu'elle n'a pas de papa, ce n'est pas la joie. Les statistiques ont beau indiquer que 15 % des enfants ne vivent pas avec leurs deux parents sous le même toit, elle s'en fout. Son horizon se limite à la cour de récré. Et il se trouve qu'autour d'elle des pères divorcés, absents, séparés, défaillants, il y en a, mais pas trace d'un père qui n'en a laissé aucune, de trace.

Elle en voulait donc un, n'importe lequel, mais pas celui-là ! A toute force. La force d'un désir de gamine promis, comme les autres, à une satisfaction immédiate. Un blouson Chevignon, pas Benetton, un jean 501, pas 902, sa mère ne lui avait jamais rien refusé. Sauf la pièce maîtresse de l'uniforme d'une élève de sa classe, un père connu, pas inconnu, ça, rien à faire !

Abi s'en était inventé un, dix, quinze, vingt, vous pensez bien. Elle en changeait au gré de ses humeurs, de ses rancœurs, de ses interlocuteurs : Moi, mon papa, c'est un médecin du monde, il a attrapé la lèpre en Afrique... Moi, mon papa, c'est une très grande star de Hollywood... Ils étaient tous fabuleux, romantiques, intéressants, souvent morts, victimes de leur courage, parfois vivant dans des conditions de détresse abominables ou au contraire dans un palais des *Mille et Une Nuits*, ces héros mystérieux du roman familial que tissent la plupart des enfants, même les plus heureux. A défaut d'un album de photos, ils se contentent, bien obligés, d'un catalogue de clichés.

Et voilà que, brusquement, alors qu'elle ne s'y attendait plus, sa mère se décide enfin à lui offrir un père. Emballage cadeau. A n'ouvrir qu'après avoir étudié le mode d'emploi, vu qu'il s'agit d'un modèle très nouveau, très sophistiqué, à la pointe de ce qui se fait de mieux dans le genre : Sa collection d'enfants, on va la voir dimanche, mais avant faut que je t'explique...

Abi a écouté en silence — elles finissaient de dîner dans la cuisine de la rue Leverrier— les tenants et les aboutissants de la situation familiale de Bernard... Les lesbiennes berlinoises, les trottoirs de Mexico, les orphelinats dans les pays de l'Est, les nattes rastas, les yeux bridés... Et quand Irène, émue, excitée, en a eu fini de son exposé, la gamine — elle l'avait écoutée sans piper — s'est levée de table en lui jetant un : Eh ben, manquait plus que ça ! qui en disait long sur les préjugés en vigueur sous certains préaux d'école. Ces préjugés, les parents sont souvent loin de les partager. Mais le petit de l'homme n'est pas bon instinctivement, tous les éducateurs vous le diront, un vrai sauvage. Et pour que la culture finisse par dominer la nature, faut vraiment se bagarrer ferme !

C'est dimanche. Premiers levés, Roland, bougon, mal réveillé, et Gilles, frais comme un gardon, prennent leur petit déjeuner en caleçon et tee-shirt dans la grande cuisine ensoleillée de Montfort-l'Amaury. Gilles est là depuis un mois, mais entre Barbie et Isa, complètement ailleurs l'un et l'autre, ils n'ont échangé que des Ça va, toi ? affectueux et distraits. Et puis là :

— Qu'est-ce qui se passe, Dad ? C'est pas vrai, dis, ce qu'on me raconte ?

— Quoi ? Qu'est-ce qu'on... C'est encore Mamiène qui...

— Non, justement, elle ne m'a rien dit. Pas un mot. Les autres, en revanche, Tonette, Sabrina, Mamie-Couette... Elles ne parlent que de ça.

— Mais, de quoi, bon Dieu ? J'en ai marre, moi, à la fin, de toutes ces bonnes femmes qui m'espionnent, qui me soupçonnent, qui me talonnent sans arrêt : Où tu vas, quand tu reviens ? Ras le bol ! Si ça continue, je...

— Tu quoi ? Tu fous le camp en claquant la porte pour la quatrième fois en quinze ans et tu remets ça avec une petite nana à peine plus âgée que moi. Pour combien de temps, ce coup-là ? Je vais te le dire : le temps qu'elle rencontre un réalisateur ou un producteur qui lui proposera le rôle de sa vie.

— Comment oses-tu me... ?

— Oh, *come on*, Dad ! Commence pas à jouer les pères nobles. C'est pas dans tes cordes. Décidément entre toi et Mum, il n'y en a pas un pour rattraper l'autre.

— Qu'est-ce que ta mère vient faire dans... ?

— Exactement la même chose que toi. Ils sont au bord du divorce, elle et Stan. Il est complètement anéanti, dévasté, le pauvre.

— Ah bon ? Pourquoi ?

— Pour quelqu'un. Quelqu'un à materner, à protéger. A ma place. Elle s'est toquée d'un jeune écrivain et...

— Ça, alors ! Connu ?

— C'est tout toi ! *Money*, *glory*, le fric, la célébrité, ça t'en jette, hein ! S'il avait écrit un best-seller adapté au cinéma, ma mère, tu l'applaudirais des deux mains : *Well done !* Chapeau ! Passer, à bientôt cinquante ans, du plus gros *broker*... agent de change, de Wall Street à la plus grande signature de Hollywood, faut le faire ! Ben, non, tu vois, son manuscrit a raté, personne n'en veut. Même pas elle. Elle le lui a refusé et c'est comme ça qu'ils se sont rencontrés.

— Insensé ! Mais qu'est-ce qu'elles ont toutes à... Tu es au courant pour Caro et ce pauvre Alain ? C'est d'un grotesque !

— Et toi, c'est quoi, Dad? C'est poétique, peut-être?

— Un homme, c'est différent.

— Sexiste avec ça! Le vieux macho à l'ancienne. Sauf que lui, il avait le sens du devoir. Dire que vous me faisiez des scènes à tout casser sous prétexte que ma chambre n'était pas bien rangée, alors que vous foutiez le bordel dans ma vie, pas gênés pour deux sous. Ces amours usées, cassées qu'on laisse traîner, ça fait franchement plus désordre que des pots de yaourt vides qu'on oublie de jeter, tu crois pas? Sans compter l'effet que ça peut avoir sur un garçon de mon âge!

— Arrête de faire l'enfant, tu veux, Gilles! Encore, Éric, je comprendrais, mais toi!

— Moi, c'est pire. Vu que des parents, j'en ai encore plus que lui. J'en suis à cinq, là, en comptant Caro. Et je trouve que sept, ça risque de devenir encombrant. Sans parler de Mamita, Granny, Grandpa, Éric et le reste. Je ne vois même pas comment je vais pouvoir faire tenir tout ça sur la photo de mon mariage.

— Ton mariage! Parce que tu comptes te... Avec cette... Non, mais ça va pas!

— Si, ça, ça va. Très bien, merci. Ce qui ne va pas, mais alors, là, pas du tout, c'est que tu prennes le même chemin et ma mère aussi au même moment. Alors, je t'en prie, ce coup-là, tu t'écrases et tu me laisses faire ma vie sans refaire la tienne à tout bout de jupon. Chacun son tour, O.K.?

— Quels jupons? De qui vous parlez, là, tous les deux, on peut savoir? Bonjour, mon Gilles, bien dormi? Roland, verse-moi une tasse de thé et passe-moi le müesli... Moi, qui ne prends jamais rien le matin, j'ai une de ces faims depuis quelque temps! Alors? De quoi s'agit-il?

— De mon mariage.

— Tu te maries! Pas vrai! Ce que je suis contente, mon grand! Ça ne peut pas mieux tomber. Parce que nous aussi, ton père et moi... Si tu n'es pas trop pressé, tu nous attends et on fait ça ensemble. Une double cérémonie. A Saint-Honoré-d'Eylau. Ça aura une gueule folle.

— Quoi, nous ? Quoi, ça, enfin, Mamiène ?

— Eh bien, le mariage de ton fils aîné et le baptême de notre bébé, mon chéri. C'est pas merveilleux, dis ?

Un bébé ! Quel bébé ? De quoi elle parle, là, Mamiène ? Elle ne va pas essayer de lui faire croire que... Roland ne l'a pratiquement pas touchée depuis... Si, mais comme il était dans un état second, il l'a oublié, effacé de sa mémoire. Il la regarde, rigolard :

— Qu'est-ce qui t'arrive, ma pauvre chérie ? Ménopausée déjà ?

Sentant venir le tir groupé, ça va canarder ferme, Gilles court aux abris :

— C'est pas tout ça, mais j'ai promis à Barbara de lui servir son petit déjeuner au lit... Une seconde... Café, Cracottes, marmelade, yaourt, Sucrettes... J'oublie rien ? Bon, je me tire. Allez-y, feu !

Mamiène dégaine :

— Tu veux que je te fasse un G-test ? Il y en a pour trois secondes. Maintenant, question recherche en paternité, rassure-toi, je n'irai pas au procès. Cet enfant, si tu n'en veux pas, libre à toi. Je l'ai désiré et je l'assume. Entièrement. J'en ai les moyens.

— Tiens, mais c'est notre chanson, notre belle chanson d'amour : Mon-ar-gent-clair-de-lu-ne-mon-or-so-leil-cou-chant... Elle me touche aux larmes chaque fois que je l'entends. Pas besoin que je te dise où tu peux le mettre, ton fric, ma grande, c'est déjà fait, apparemment. Je te signale simplement qu'un gamin, ça n'est pas un distributeur de billets. Suffit pas de lui enfourner ta carte Visa dans la gueule pour...

— Je t'en prie, Roland, c'est un peu facile, tu ne crois pas ? Il ne s'agit pas de ça, tu le sais très bien.

— Il s'agit de quoi, alors ? De tes trésors d'affection, d'attentions désintéressées ? De ce côté-là, il n'y en a que pour toi. Pour le reste, tu es complètement à sec, ma pauvre. Et un gosse, ça en écluse un maximum.

— Je regrette, si tu ne peux pas assurer, faudra bien qu'il...

— Enfin, Mamiène, la question n'est pas de savoir si je peux ou pas. Je ne veux pas. Point final. Avoir un enfant toute seule, c'est peut-être ton droit, le droit de la femme. Sauf qu'un enfant, lui, a le droit d'avoir ses deux parents et que l'homme a tout de même le droit d'engendrer ou pas.

— Mais personne te force !

— Si, justement, tu m'as forcé la main. Et ça, je ne l'accepte pas.

— Faux. Ce bébé, je te l'ai offert, tu l'as refusé. Bon, très bien, je le remets dans ma culotte et on n'en parle plus.

— On n'en parle plus, tu parles ! Quand il va en ressortir, de ta culotte, il ne parlera que de ça, lui : Pourquoi il est pas là, mon papa, dis, maman ? Et qui c'est d'abord ? C'est ce monsieur, là, mon petit bonhomme, mais c'est un méchant, il ne veut pas de toi. Tu ne vois pas que tu me mets dans une situation invivable ? Je n'ai le choix qu'entre deux rôles, celui de la victime ou celui du bourreau.

— Tout de suite les grands mots ! On n'en est pas encore là. Quand il arrivera à l'âge des pourquoi, on avisera.

— Non, désolé, ce sera trop tard. On s'engage pour la vie. Cette responsabilité-là, faut la prendre avant. En toute liberté mais partagée. Au moment et avec la personne de son choix.

— Ah, parce que avec Miss Mégastar, ce serait oui ? Oui, ma perle, oui, ma chérie, viens que je te la plante, ma petite graine !

— Tu es d'un vulgaire, ma pauvre Mamiène ! Ce serait non, figure-toi...

— Mais non, Isa, qu'est-ce que tu vas t'imaginer ?

Non, je n'ai pas couché avec elle, je te jure... Comment c'est arrivé, alors ? J'en sais rien, moi. Enfin, si, elle a pu se faire engrosser par n'importe qui... Remarque, c'est pas le genre... Mais non, je ne la défends pas, arrête ! Allez, ma perle, enfin, je veux dire, ma belle, oublie ça et embrasse-moi, ça devient tuant, ces scènes continuelles !

Rue de Tolbiac. Un week-end avec. Avec les enfants. Ils sont là tous les trois. Caro s'apprête à servir le déjeuner.

— Éric, va dire à papa de venir faire la sauce de la salade, tu veux bien ?

— Papa ? Quel papa ?

— Alain, voyons, chéri, qui veux-tu que ce soit ? Papa Roland n'est pas là.

— Alain, c'est pas mon père, c'est...

— Ton presque beau-père, ton demi-père si tu préfères. Le père des deux petits. Quand je leur parle de lui, je dis papa... Je dis pareil pour toi. Tu ne vas pas en faire toute une histoire quand même ? Et Marie-Hélène, tu l'appelles pas maman peut-être ?

— Elle, c'est pas pareil. C'est sa maman, à ma sœur.

— Moi, Alain, c'est mon papa, mais je te le prête, Éric, même je te le donne. Tu me le prendras pas tout, hein ?

— Tiens, Alain, t'arrives bien, tout est prêt, il ne reste plus qu'à faire la sauce de la niçoise. Où tu vas, Éric ? Assieds-toi, on mange.

— Pourquoi il est parti en claquant la porte ? Qu'est-ce qu'il a, ce petit ?

— Il veut pas que tu sois son papa, pareil que pour moi.

— Qu'est-ce que c'est que cette histoire, mon cœur ?

— J'ai insisté pour qu'il t'appelle papa et...

— Tu as insisté pour qu'il avale quelque chose qu'il n'aime pas ? Ça alors, c'est bien la première fois !

— Écoute, c'est normal, je veux tout de même savoir pourquoi il refuse de...

— Parce qu'il n'en a pas envie, c'est tout. Quand tu lui dis : Qu'est-ce que tu veux, mon bébé, une côtelette ou un bifteck haché, s'il te répond une côtelette, tu la lui sers sans discuter, sans l'interroger pendant des heures pour savoir ce qu'il a contre le bifteck haché. S'il préfère l'Alain au papa, donne-lui de l'Alain. Qu'est-ce que ça peut faire ?

— Une famille unie, voilà ce que ça peut faire.

— N'importe quoi ! Dans beaucoup de familles à l'ancienne, très unies, très soudées, on appelle ses parents par leur prénom. C'est très courant... Alors je ne vois vraiment pas...

— Justement, eux, ils peuvent se le permettre. Pareil que les aristocrates qui n'arrêtent pas de dire merde, con, bordel... Dans leur bouche, ça passe, dans la nôtre, c'est...

— C'est pareil. De toute façon, la question n'est pas là. Un papa, il en a déjà un. Pas la peine de lui en resservir. J'ai pas envie qu'il me mâchouille interminablement, qu'il me réduise en boulette, qu'il me balade de joue en joue et qu'il finisse par me recracher dans son assiette. Tiens, commence à servir, mon cœur, je vais le chercher... Non, Justine, c'est moi... Reste à table, ma puce... On va pas le gronder, ton Éric, t'inquiète... Allez, viens, mon grand, personne t'oblige à... Pourquoi tu ne manges pas ? Qu'est-ce qu'il y a encore qui ne va pas ?

— Maman Mamiène, elle dit qu'il faut pas manger des œufs tous les jours, et comme vous m'en avez déjà donné hier, celui-là, j'en veux pas...

— T'entends ça, Alain ? Elle, il l'appelle maman, que toi, il...

— Normal, écoute, de la Mamiène, Roland lui en donne depuis un bon bout de temps déjà, alors que moi, tu viens seulement de m'inscrire au menu...

— Bon, O.K. ! Passe-le-moi, chéri, ton œuf dur, j'adore ça. Tu veux un anchois en échange ?

— Non, je t'ai dit, j'en veux pas et je veux rien et merde à la fin !

— Hé! Ho! Non, mais t'as vu un peu sur quel ton tu parles à ta mère? Tu te crois tout permis ou quoi?

— Arrête, Alain, tu veux. Il n'a rien fait de mal. C'est pas de sa faute s'il n'a pas faim. Allez, va jouer, mon chéri. Tout à l'heure on ira au cinéma et après au MacDo... Bien sûr, toi aussi, Justine. Et Romain... T'as perdu la tête ou quoi, Alain? De quel droit tu te permets de l'engueuler? Pas étonnant qu'il l'appelle maman, la pouf de Roland. C'est ça que tu veux? Qu'il la préfère à moi? Qu'il aille vivre là-bas? Elle ne demande que ça, cette pétasse, et si tu continues... Non, mais pour qui tu te prends? Pour son père?

Faudrait peut-être que je vous fasse un compte rendu de la finale du Grand Schelem opposant Mamiène à Isa. Ça va faire des semaines qu'elles se disputent le titre de troisième épouse. Il y en aurait pour des pages et des pages. Je préfère vous passer la cassette en glissant, avance rapide, sur le début de la partie pour en arriver à la balle de match. Mamiène perd son service. Isa égalise. Mamiène marque un point. Non, *out*! Si! Non! Si! A Roland de trancher. Après tout, l'arbitre de chaise, c'est lui. Il hésite. Dans les tennis de Mac Enroe, Isa pique crise sur crise, le traite de tous les noms et multiplie les fautes. Concentrée sur son ventre, impassible, Mamiène Borg, elle, attend au fond du court que l'autre monte au filet pour la terrasser d'un passing-shot fulgurant. Bon ou mauvais calcul? Vous allez voir.

— Dis, Roland, il fait beau, il fait chaud, j'ai envie de réserver une table pour demain à la terrasse de la Closerie des Lilas. Rien que nous quatre. Un petit dîner de fiançailles. J'en ai parlé à Gilles. Il est ravi. Ce sera l'occasion de faire vraiment connaissance avec Barbie. Après tout, sorti de Clint, on ne sait rien d'elle. Alors, c'est oui?

Oui, c'est oui. Un oui résigné. Suivi d'un non agacé

quand à peine les menus distribués — Bon, si on commandait? —, Mamiène, c'est plus fort qu'elle, prend la direction des opérations.

— Tu permets, Mamiène? On n'a pas encore choisi. Qu'est-ce que vous préférez, Barbie? Chauds ou froids, les hors-d'œuvre?

A demi morte de trac, Barbie le regarde sans comprendre... Comment ça, chauds ou... Elle va le rater encore un coup, son examen de passage, sûr et certain. C'est de sa faute aussi. Quelle idée de se présenter deux fois de suite devant le même jury! Si encore elle avait eu le temps de se préparer... Mais, être convoquée la veille pour le lendemain... Et Gilles qui a absolument refusé de la faire bachoter! Voyons, *love*, s'agit jamais que d'un oral. *Don't worry*. Tout ira bien. Ton nouveau look te vaudra au moins le coefficient 5 et les questions, tu les connais d'avance... Il lui tend une main secourable sous la table et lance à sa place:

— Tièdes, les hors-d'œuvre. Des asperges. Pour moi aussi. Et pour toi, Dad?

Pour Roland, ce sera... Non, c'est pas vrai! Une Isa. Une. Et un David en terrasse! David, oui, le mari de Zaza. Ils passent devant leur table sans les voir, histoire de ne pas être vus. Et vont s'asseoir un peu plus loin. Elle en grande forme. Lui aux petits soins. Et Mamiène:

— T'as vu un peu, Roland? Cette pauvre Zaza quand même! Remarque, elle s'en doutait. David vient de lui offrir un fabuleux bracelet de chez Arpels, et comme c'est sa façon d'acquitter ses droits à une nouvelle histoire... Non, n'y va pas, chéri, pas ça, pas maintenant, pas ici... Je t'en prie!

— Bon, alors, qu'est-ce que tu prends, Dad? Tu te décides?

— Ne le bouscule pas, voyons, Gilles. S'agit d'un choix drôlement difficile.

C'est trop beau pour être vrai, cette rencontre.

Vous ne nous ferez jamais croire qu'elle était fortuite. Non, pas vraiment. Un jour qu'elles bavardaient au téléphone, elles s'appellent souvent depuis quelque temps, Mamiène et Zaza :

— Et ton Roland, où il en est ?

— Aucune idée. Je me garde bien de le lui demander.

— T'as raison. Mais je serais quand même curieuse de savoir si...

— Si quoi ? Si ça continue avec Miss Mégastar ? Bien sûr que oui...

— Pas si sûr que ça. Ça doit être en train de se jouer là, en ce moment. Ou il n'y en a plus pour longtemps ou il y en a pour des années.

— Qu'est-ce que tu racontes ? D'où tu le tiens ?

— Je ne le tiens de personne. Je l'ai pris quelque part. Et tu sais où ? Dans son agenda, à ce con de David.

— Ça alors ! Qu'est-ce qui est marqué ?

— Mercredi. 20 heures. Closerie. JTB.

— Quel rapport avec... ?

— JTB. Ça se prononce ISA, figure-toi. Non, parce que je t'ai pas dit, mais il croit me tromper en utilisant un code secret façon Victor Hugo, mon vieux salaud de mari !

— David ? Avec Isa ! Mais comment ? Mais pourquoi ?

— Évident ! Lui, ça fait déjà un bon moment qu'il l'attend au tournant d'une affaire de cœur ou de cul. Et elle a dû penser que c'était le moment ou de larguer Roland, rapport au bébé, ou de se l'amarrer en le menaçant de le jeter. Mais pas pour quelque chose. Ça ne marcherait pas. Pour quelqu'un. Là, ou ça passe ou ça casse. Risqué.

— Et si je le lui faisais courir, ce risque, à cette garce ? Qu'est-ce que t'en penses, Zaza ? Au moins là, on saurait à quoi s'en tenir. Tiens, à propos, je suis allée consulter une voyante, c'est un garçon.

— Tu lui as dit, à Roland ?

— Tu rigoles ? Il serait trop content ! Alors, comment on pourrait faire pour la piéger, cette salope ?

— Tu vas voir. Tiens, sors ton carnet de rendez-vous et note : Mercredi, 20 heures. Closerie. SPMBOE.

— Ce qui signifie?

— Roland. En code.

— C'est quoi, la clé? Et comment tu l'as trouvée?

— Élémentaire, mon cher Watson. Suffit de l'écrire en utilisant la lettre suivante de l'alphabet.

— Et pour Zaza, alors, comment on fait?

— On ne le fait pas. Zaza, on l'écrit comme ça se prononce et on le souligne en gras. Zaza, on tient à ce que ça se voie!

C'est de nouveau les vacances. Les vraies, les grandes. Grandes manœuvres et vrai casse-tête. Ma famille élargie va encore se disperser. Ou plutôt se recomposer, autour ou en dehors des enfants. On se les partage, on se les dispute, on se les prend, on se les renvoie :

— Bon, alors, Caro, c'est bien d'accord, Éric passe le mois d'août avec nous à Saint-Trop?

— Ah! non, sûrement pas, Roland! En août, on l'emmène avec Alain. Et comme il refuse d'aller à la colo en juillet, vaudrait mieux...

Oui, il refuse Éric. Il se bute, il se bloque, il a l'impression qu'on veut se débarrasser de lui. Sabrina sera avec Clint, les deux petits avec Sylvie. Pourquoi est-ce qu'il n'aurait pas droit de rester en famille, lui aussi?

— Je regrette, ma vieille, moi, en juillet, je ne prends que dix jours. Tonette prend tout le mois. Mamie-Couette va je ne sais où... Qu'est-ce que tu veux que j'en fasse à Paris? Tu n'as qu'à l'envoyer en Bretagne chez Nanou, elle ne demande que ça. Je te proposerais bien Mamita, mais d'après la voisine, vaut mieux pas. Elle...

Résultat, début juillet à Loguivy, très tôt le matin — Éric est arrivé l'avant-veille, encore assez content, sa Nanou, il l'adore... —, téléphone...

— Éric, t'es réveillé? Réponds, tu veux, je fais ma toilette...

— Allô!

— Allô, pitchoun? Je veux parler au pitchoun. Allez le chercher. Et vite. J'appelle d'une cabine. Mon téléphone, on me l'a...

— C'est moi, Mamita, c'est...

— Ben, où tu es, pitchoun? Je t'attends depuis deux jours. Pourquoi t'es pas ici avec moi?

— Parce que je suis chez Nanou.

— Quelle nounou?

— Tu sais bien... Nanou... Mon autre grand-mère. Elle a une maison en Bretagne.

— Et moi, ma maison, qu'est-ce qu'elle a? Elle est pas assez belle pour toi, c'est ça?

— Mais si, Mamita, mais c'est pas moi qui décide.

— Enfin, c'est quand même insensé! Ils n'ont pas le droit de te mettre en nourrice. Tu as une famille. Tu as moi. Tiens, passe-la-moi, cette salope, je vais lui régler son compte.

— Nanou, viens, c'est Mamita! Elle est furieuse... Nanou!

— J'arrive... C'est qui? J'ai pas compris.

— C'est Mamita, je te dis... Dépêche-toi!

— Allô, oui? Bonjour, madame, vous appelez pour prendre des nouvelles d'Éric?

— Non, pas pour prendre de ses nouvelles. Pour le prendre, lui. Je ne veux pas le laisser en nourrice.

— Mais il n'y est pas, là, voyons, il est chez moi. Chez sa grand-mère.

— Qu'est-ce que c'est que cette histoire! Vous n'avez pas le droit de lui raconter des bobards. Sa grand-mère, c'est moi. Et il faut me le ramener tout de suite. Je viendrais bien le chercher, mais la Bretagne, je sais plus où c'est. Et cette petite garce de Rose m'a confisqué mon Solex.

— Passe-la-moi, Nanou... Mamita, c'est Éric. Elle est là, madame Rose? elle est à côté de toi?

— Non, ils sont tous partis, même le bébé. Ils m'ont laissée. Mais quelle importance, c'est toi que je

veux. Alors, tu dis à cette bonne femme de te ramener à la maison. Tu sais où c'est, hein, pitchoun?
Dépêche-toi, je t'attends. Je vais te préparer à manger et puis j'irai m'asseoir sur le banc, comme ça je
te verrai arriver.

— Mamita... Elle a raccroché... Nanou, vite, faut
qu'on y aille tout de suite.

— Voyons, mon chéri, calme-toi, on va arranger
ça. Je vais appeler ton père et...

— Mais il n'est pas là, tu sais bien. Ils sont allés je
sais plus où en bateau, et Gilles est parti aussi et il
n'y a que nous.

— Et ta mère. Elle pourrait peut-être...

— Elle voudra pas et elle va râler, et pendant ce
temps-là... Je t'en supplie, Nanou, fais quelque
chose. On peut pas la laisser... C'est loin en train? Et
si on prend la voiture, on arrivera quand?

— Enfin, mon chéri, tu te rends compte un peu...
Pas avant...

Hélas, non, pas avant. Juste après. Après qu'elle
s'est endormie à jamais, attablée dans sa cuisine, la
tête sur les coudes, devant une casserole carbonisée
oubliée sur le gaz depuis l'heure du déjeuner. Quand
Nanou est arrivée devant la maison, en pleine nuit,
au volant de sa Fiat Uno — écrasé d'angoisse et de
fatigue, Éric dormait à l'arrière — et qu'elle a vu les
pompiers, elle a fait demi-tour sans un mot et elle est
descendue à l'hôtel le plus proche : Allez, réveille-toi,
mon chéri, on va coucher ici... Non, pas chez
Mamita. Elle est à l'hôpital. Elle était trop fatiguée
pour attendre seule chez elle. On ira la voir demain.

Rameutée par les gendarmes, Mamie-Couette s'est
occupée de tout. Et d'abord de faire revenir Roland.
Non sans mal. Lui et Mamiène sont allés se dorer au
soleil des îles grecques sur un yacht loué avec deux
autres couples. Le retour au Pirée est prévu dans
trois jours et ça l'embête d'interrompre ses vacances.

— C'est pas pour moi, c'est pour nos amis. Ça les
obligerait à écourter la croisière. Il n'y a pas d'aéroport là où on est et...

— Qu'est-ce que vous voulez que je fasse, mon petit Roland? Que je mette votre mère au congélateur? Comme ça, on n'aura plus qu'à la passer au four à votre retour, c'est ça?

— Ben... oui... Enfin, non, je ne sais pas, faut demander aux pompes funèbres, mais si on pouvait retarder l'incinération jusqu'à la fin de la semaine...

Non, on ne peut pas. Roland est rentré. Seul. Mamiène est restée à bord : J'ai jamais pu la supporter, je ne vois pas pourquoi je devrais... En plus, si elle n'a pas pu se conserver, c'est qu'il doit faire une chaleur à crever là-bas, alors, dans mon état...

Roland est rentré juste à temps. Il a pris le vol pour Paris, puis pour Toulon; là, il a sauté dans un taxi avec son petit sac de voyage et il s'est pointé au cimetière comme on va prendre un verre à la Placca. Tout beau, tout bronzé, tout souriant. En espadrilles, pantalon de toile et chemise Lacoste rose délavé. Les autres étaient déjà là... Gilles étrangement ému, il la connaissait à peine. Éric ravagé par le remords. Mamie-Couette ne voulait pas qu'il vienne, mais Nanou a insisté : Si, si, il l'aimait vraiment, il était le seul! Mamita, sa famille, c'était son pitchoun. Alors, déjà qu'il culpabilise à mort, le pauvre chéri... Non, faut qu'il soit là. Pour elle. Pour lui.

Éric et Gilles sont debout, côte à côte, devant le cercueil, raides comme des piquets, l'un très grand, l'autre très petit. Habillées de noir et de gris, Nanou, Mamie-Couette et Barbie s'impatientent : Et Roland, qu'est-ce qu'il fait?... On ne peut pas attendre indéfini... Ah! Enfin!

— Excusez-moi, mais il y avait un monde fou sur les routes. Bonjour, les enfants! Ça va?

Gilles et Éric l'ont regardé sans répondre. L'un de haut, l'autre d'en bas et c'est là, là seulement qu'il a compris ce qui lui arrivait, Roland. Il s'est décomposé, vidé de l'intérieur, happé par une spirale de panique et de pitié. Sa mère... Il a perdu sa mère. Son rempart. Entre la mort et lui, il n'y a plus personne. Elle l'a laissé tout seul au bord du trou. Ses fils par-derrière : C'est à ton tour, là, maintenant, Dad!... Poussez pas, je vous en supplie, je...

Il les a regardés à son tour, bouleversé, sans rien dire. Et puis il a pensé au bébé, ce bébé dont il ne voulait ni cru ni cuit, ce bébé inespéré qui va lui valoir un sursis... Je suis encore jeune, très jeune... Elle ne peut pas recruter un futur papa, la Faucheuse, hein, qu'est-ce que tu en penses, Mamita? Oui, je sais, c'est moi qui aurais dû penser à venir te voir, à te... Pourquoi tu m'as puni de cette façon-là? C'est vache quand même...

Une petite main s'est glissée dans la sienne. Roland l'a serrée très fort : Regarde, Mamita, regarde, la peine que tu lui fais, à ton pitchoun... Et il s'est mis à pleurer, à gros sanglots, rauques, terrifiants... Un gamin cramponné à son gamin.

Ses vacances, Irène les passe à La Baule où Bernard va tous les étés depuis son enfance. Dans une affreuse maison de famille héritée de ses grands-parents, une villa toute en hauteur et en meulière avec vue sur la mer. Et plage aménagée en bas d'un sentier aujourd'hui goudronné. Quand il fait mauvais, elle va bouffer des crêpes en ville, suivie de quatre petits cirés, encapuchonnés et bottés de jaune qui s'amusent à sauter dans les flaques. Et quand il fait beau, elle va lézarder sur un matelas loué pour le mois, précédée à grands cris par sa trimbalée de gamins vite dispersée sur le sable, aux quatre vents d'une innombrable et braillarde marmaille. Elle bouquine. Elle s'huile. Elle baisse et remonte, selon le degré de cuisson, un maillot une pièce roulé ras le bonbon, façon monokini ou tiré jusqu'au cou genre baigneuse 1900.

Ce matin-là, une dame s'est approchée d'elle, une voisine. Elle loge sous le troisième parasol à droite.

— Je m'excuse de vous déranger, mais je voulais vous demander... Il est vraiment ravissant et il vous va très bien. Où vous l'avez trouvé?

154

— C'est un cadeau de mon jules à son ex. Retour d'un voyage en Amérique du Sud.

— Il l'a payé combien ?

— Aucune idée ! Ça ne doit pas être bien cher. Ils en fabriquent tellement.

— Moi, j'en cherche un dans les pastels, les roses, les bleus, voyez... J'ai fait le tour de toutes les... Ça ne se fait plus. J'ai une amie, elle en a dégoté un, il n'y a pas si longtemps, mais maintenant pour tomber sur un truc made in France ou même dans la Communauté européenne... Ça vient du Sud-Est asiatique, Taiwan, la Corée, la Chine, tout ça... Et ils ne les sortent que dans des tons...

— Là, en marron, c'est joli, faut reconnaître, surtout quand on est bronzée. Elle est rousse, la femme de mon mari, très blanche de peau. Elle tache au soleil. Bref, elle n'en avait pas l'usage, alors... Remarquez, j'en ai plusieurs. Mais, c'est vrai qu'il est chouette celui-là... Hein, mon petit bonhomme ! Viens, mon chéri, viens, Joao, montre à la dame comme t'es mignon.

— Ah ! parce que vous lui avez laissé son nom. Moi, à votre place, j'aurais enlevé l'étiquette.

— Oui, c'est très facile d'entretien. A l'eau tiède et à la main, bien sûr. Je ne le mettrais pas à la machine. Et question repassage...

— Non, je voulais dire la griffe.

— Mais, j'en suis très fière, moi, au contraire. Quand on s'offre un sac Hermès, Chanel ou Vuitton, c'est bien pour ça, pour la griffe. C'est que ce n'est pas le petit garçon de tout le monde, ça, madame ! Ça n'est pas du prêt-à-aimer. C'est de la haute culture. On appartient à une des plus anciennes tribus indiennes. On descend tout droit du grand chef Wakamoca, pas vrai, mon petit prince ?

— Oh ! là là ! Oui, mais ça, voyez, c'est pas dans mes moyens. Si seulement on pouvait les choisir sur catalogue et se les faire livrer, moi, je commanderais bien un gamin Trois Suisses.

— Comment, tu savais pas, Mamie-Couette ? Ma mère, elle a presque pas eu de père.

— Comment ça ? De quoi tu me parles là, Éric ?

— Ben, de son mari, à Nanou. Même qu'il était marin. Même qu'il revenait à la maison la nuit avec son sac. Même qu'il a été écrasé par une voiture devant la porte. Même qu'il était soûl... Pas mon pépé, l'autre, celui qui conduisait...

— Mon Dieu, mais alors, elle l'a perdu, elle avait quoi ? La trentaine, même pas... Elle est beaucoup plus jeune que moi, non ?

— Je sais pas... Nanou ! Nanou !

— Oui, qu'est-ce qu'il y a ?

— T'as quel âge ?

Un vieux chapeau de paille enfoncé jusqu'aux yeux, en bermuda et long tablier de jardinier, elle cueille de la lavande plantée en bordure de terrasse à Saint-Tropez. Nanou lève la tête vers la fenêtre du living grande ouverte dans un mur de rosiers grimpants où s'encadre la petite bouille ébouriffée du pitchoun. Une petite bouille pétrifiée de stupéfaite épouvante, ça jamais elle ne l'oubliera, quand après cette longue, très longue attente au columbarium, on leur a rendu une Mamita réduite en cendres et que son père a repassé l'urne encore chaude, très chaude — Vite, attrape, ça brûle ! — à Gilles, estomaqué : A quoi tu joues là, Dad ? Au rugby ? Cette petite bouille ouverte sur un cri : Mamita, attention, ils vont te laisser tomber !

Il va mieux, là, maintenant, grâce à elles, à elles deux, à Nanou et à Mamie-Couette devenues complices, devenues amies, grâce à lui. Au lieu de le ramener seul, désemparé, à Loguivy, Nanou, invitée à rester encore quelques jours au Clos Pistou, s'est empressée d'accepter : Oui, oui, très volontiers... Bonne idée !

— Quel âge, j'ai ? Pourquoi tu veux savoir ?

— C'est pas lui, Nanou, c'est moi, il me parlait de son grand-père et je me demandais quand c'était arrivé...

156

— Trop tôt... Trop tard... Ma vie s'est arrêtée pile. Sur un coup de frein... Enfin, n'exagérons rien. Ma fille s'est chargée de la remplir, je vous dis pas! Il y a même eu des moments où j'en ai eu jusque-là!

— Et moi, alors! Rentrez donc, on va se faire un petit piapia-caoua, c'est une expression de ma mère, bavarder en prenant le café... Éric, si tu allais jouer dehors au lieu de rester enfermé par ce temps à...

— A écouter vos secrets? Vous allez faire tanière et vous voulez pas de moi, c'est ça?

— Faire quoi?

— Rien. Vous êtes trop vieilles pour comprendre, tellement vieilles que vous allez être mortes aussi et ça m'est bien égal!

Mamie-Couette et Nanou se sont regardées, inquiètes : C'est quoi, ça? Caprice ou panique?

— Allons, allons, faut pas te mettre des idées pareilles en tête, espèce de petit idiot!

— Idiote toi-même!

Et devant leur air interloqué :

— Vous savez même pas quoi répondre, hein! Vous êtes trop nulles, trop débiles. Vous avez qu'à regarder dans le livre de la dame sur les enfants, maman l'a dans sa chambre et quand elle sait pas non plus, elle va voir, c'est marqué.

— Oui, ben, pas la peine, la voilà ma réponse à ton insolence... Tiens, attrape!

Et hop, elle est partie, merci Nanou, cette claque qu'il cherchait sans l'avoir jamais trouvée. Sans s'être jamais heurté à un de ces écriteaux, interdit de parler à table, avant d'y avoir été invité, interdit d'entrer sans frapper et la suite, une de ces limites à ne pas franchir qui rassurent et tranquillisent les petits d'homme foncièrement attachés, comme tant de leurs aînés, à l'ordre et à la loi. Seulement voilà, difficile de dresser des bornes entre les grosses mailles d'une famille élargie. Elles s'effondrent ou se contournent : Si c'est comme ça, je vais aller chez mon papa, chez ma mamie, chez la mère à ma sœur, chez... Alors, bon, tant pis : Qu'est-ce que tu disais, mon chéri ? Que j'étais la reine des connes ? T'as peut-être raison au fond.

Sa claque, Éric l'a reçue dans un hurlement de stupeur outragée-soulagée et puis, l'orage passé, rayon de soleil sous la pluie, il a eu un petit sourire malicieux :

— C'était même pas vrai que ça m'est bien égal que vous soyez... pareil que Mamita. Je vous ai bien eues, hein !

Pour ça, oui ! Tu les as pour la vie. Pas la leur, la tienne. La marque de ces doigts sur ta joue ne s'effacera pas. Plus tard, bien plus tard, quand tu te raconteras, enfant, aux femmes — il y en aura vraisemblablement plusieurs, qui voudront en avoir un avec toi —, le souvenir reconnaissant, attendri de « la » gifle te prendra encore aux tripes. Qui aime bien... L'ennui, c'est que les gamins, de nos jours, on ne les châtie plus, quitte à les jeter quand ils sont devenus — la faute à qui ? — trop intenables, trop encombrants.

— Bon, alors, tu dégages, là, maintenant, Éric. On a à se parler ta grand-mère et moi. Va donc demander au petit voisin s'il veut venir à la plage tout à l'heure... Vous avez été formidable, Nanou, moi, cette claque, je n'aurais pas pu. Je fatigue, que voulez-vous, je n'ai plus l'âge. Et puis ça n'est pas à nous, les grand-mères, à... On ne va quand même pas passer le reste de notre vie à ravauder un tissu familial de mauvaise qualité, troué, déchiré de partout. De notre temps, il avait une autre tenue.

— Bof, il était trop raide, trop rêche. Aujourd'hui on préfère les matières souples, aérées, réversibles. Ça a ses avantages. Ça ne se raccommode pas, ça se remplace. Et ça se superpose. Et ça se mélange : jean et dentelles, jupe à volant et veston croisé...

— Et Nanou et Couette. Si on essayait ? Je crois que ça irait très bien ensemble.

— C'est quoi, ça ? Une demande en mariage ? Ça fait un peu vieux jeu, non ?

— Non, non, rassurez-vous ! Union tout ce qu'il y a de plus libre. Avec ouverture d'un compte commun. Où déposer nos gamins. Le vôtre, les miens. Présents et à venir. On peut se prendre à l'essai, qu'est-ce qu'on risque ?

— Je ne suis pas celle que vous croyez, mais, bon, d'accord. Chez vous ou chez moi ?

Au retour des vacances, les enfants ont été redistribués à leurs parents et beaux-parents. Qui se les trustent ou se les partagent au gré de leurs humeurs et de leurs occupations. Roland, lui, est volontiers preneur. Déjà réduit à quelques rares répliques tricotées lâche, un point de honte à l'envers, un point de fierté à l'endroit — Moi, je suis parti de rien, ma pauvre mère faisait des ménages —, la mort de Mamita l'a délivré du rôle de fils ingrat, au moment même où la vie lui en offrait un autre bien meilleur. Très valorisant. Très dans le vent.

Le voilà donc affiché dans celui de père de famille nombreuse. Il se voit, il se veut chef de tribu présidant, à la tête d'une joyeuse et bruyante tablée, le déjeuner du dimanche dans un grand jardin ombragé ou devant un feu de bois. Pareil qu'au cinéma. Titre du film : Où sont passés les gamins de mon ex ? Pareil que sur la couverture de *Paris-Match*. Johnny Hallyday et sa nouvelle fiancée : Une maison. Plein d'enfants. Je me sens une âme de patriarche !

Roland, ça lui en fait déjà cinq. En comptant Sabrina et Charles-Édouard. Qui ça, Charles-Édouard ? Le bébé. Oui, l'échographie a confirmé ce qu'avait révélé le marc de café, c'est un garçon. Pourquoi Charles-Édouard ?

— Charles ou Louis ou Édouard ou Henri ou une combinaison des quatre, ça m'est complètement égal, chéri, mais il n'est pas question que mon fils s'appelle Jim, Bill ou Jack. C'est devenu d'un commun ! Dans mon milieu...

— Quel milieu, on peut savoir ?

— Je t'en prie, Roland, ça ne va pas recommencer ! Tu m'avais promis... Entre un facteur rural et un petit commerçant, il n'y a pas tellement de différence, c'est vrai. Sauf que mon père, lui, il a gagné plein de sous.

— Des sous flambant neufs, oui, par opposition au vieil argent.

— Raison de plus pour les patiner un peu en choisissant un prénom à l'ancienne. Un prénom digne d'un roi. De France ou d'Angleterre. C'est ce qui se fait de plus chic.

— C'est nouveau, alors ! Parce que pour Sabrina...

Elle est vexée, là, Mamiène. Courir après la mode, être en retard, se tromper de quai et embarquer dans un train en provenance des États-Unis, au lieu de prendre celui du Gotha, c'est d'un plouc ! Comment a-t-elle pu... ? Remarquez, à l'époque, dans les années quatre-vingt, des Sabrina, des Mélanie, des Laura, il en naissait une toutes les dix minutes. Mais dans les H.L.M. Pas dans les beaux quartiers. Ça, Mamiène l'ignorait. C'est ainsi qu'elle s'est retrouvée, toute bête, vingt mois plus tard, chez Dessange-Franklin-Roosevelt, avec une capricieuse coquette, qui se tortillait, furax, sur ses genoux : Non, veux pas ! — Mais il ne va pas te couper les cheveux, Yves, voyons, ma puce. Simplement les mettre en forme.

Et les clientes : Ce qu'elle est belle ! Comment tu t'appelles, ma petite princesse ? Sabrina ? Tiens, marrant, la fille de ma femme de chambre aussi ! Remarquez, c'est très répandu chez les travailleurs immigrés, les Algériens, les Portugais... Pas laid, d'ailleurs...

Elle était rentrée, catastrophée : Tu te rends compte un peu, Clint ! Sabrina de Ville d'Avène, ça ressemble à quoi ?

— A pas grand-chose, mais bon, ça a du mordant, ça tranche. Pas trop. Juste ce qu'il faut pour qu'on le retienne votre nom, hein, mademoiselle, hein, Miss Ronchon ? Elle va avoir un sacré caractère, dis donc !

Et puis ce coup-ci, quand, en salle de travail, on va

lui déposer un bébé gluant, potelé, né coiffé, sur le ventre, avec ses grosses joues en forme de poire et son crâne étroit, rétréci, il a fallu le sortir aux fers, Roland, il n'avait jamais assisté à l'accouchement d'un de ses enfants, Roland, bouleversé, va casser son émotion dans un éclat de rire nerveux :

— Lui, au moins, il le mérite, son prénom vieille France, c'est Louis-Philippe tout craché ! Ça lui ira comme un gant... Fais pas cette tête-là, je taquine, voyons, chérie, tout ça va se remettre en place... Il sera superbe, mon fils, pas vrai, mon Teddy ?

Sur le moment, elle n'a pas relevé, mais un peu plus tard, en le voyant arpenter la chambre, extasié, son Teddy dans les bras :

— Comment ça, Teddy ? C'est Charles-Édouard, tu sais bien, t'étais d'accord.

— Oui, ben, Édouard, c'est Ted... Ted Kennedy. Tiens, ça me fait penser, faut que j'aille l'inscrire à l'état civil. Je vais le reconnaître, mais pas toi, tu ne peux pas, tu es toujours mariée à Clint, je te signale, tu vas être obligée d'accoucher sous X... Mère inconnue... Le temps que tu te décides enfin à divorcer, sinon il ne serait pas à moi, il serait à ton légitime.

— Mère inconnue... Non, mais tu rigoles ?

— Pas du tout ! Je t'avais prévenue d'ailleurs, seulement, c'est toujours pareil avec toi, tes impôts, ta Sécu, tes démarches, tes factures, tes paperasses, c'est pour qui ? Pour ma pomme. Madame ne daigne pas s'abaisser à...

— Eh bien, justement, si tu tiens tellement à m'épouser pour faire un honnête garçon de ce pauvre petit bâtard, tu n'as qu'à t'en occuper, toi, du divorce.

— O.K., j'appelle Clint tout de suite, c'est quoi son numéro de téléphone au studio ?... Allô, Clint, allô, chéri ? C'est Roland. Ça y est, il est là, notre bébé d'amour à toi et moi. T'es content, dis ?... Superbe ! Tu veux qu'il s'appelle comment ?... On avait pensé à Charles-Édouard, mais Charles-Édouard de Ville d'Avène, ça ne te dérange pas quelque part? Moi, tu vois, je préférerais Bricard, alors je me demandais si on ne pourrait pas entamer une procédure de... Ah! tu crois, Charles-Édouard Bricard de Ville d'Avène? D'abord, je ne sais pas si on a le droit. Ensuite, c'est peut-être un peu long, un peu lourd à porter, un nom pareil. Sans compter que ça lui fera deux papas d'entrée de jeu... Oui, sur ce plan-là, il sera en avance pour son âge, d'accord, mais... Un cadeau? Tu me gâtes là, mon chéri!... Non, je ne peux pas accepter... Garde-la, je t'en prie, cette montre-gousset en or... Non, écoute, c'est un bijou de famille... Maintenant, j'en fais partie?... Ce que tu es mimi! Bon, alors, je t'attends. Notre fils aussi.

Eh oui! Deux papas ou même trois, le mari, l'amant et le donneur de spermato, en cas de procréation médicalement assistée, ce sont des choses qui arrivent. Jusqu'aux tribunaux : contestation ou recherche ou revendication ou désaveu ou rétablissement de paternité. Tests génétiques à la clé. Fiables à 99,99 %. Ça tient à un cheveu, là, maintenant, les conflits de filiation. Le vôtre et celui de l'enfant. Si ça colle, on vous le colle d'autorité; plus moyen d'y couper. Et si ça ne colle pas, mais que ça colle entre vous et ce petit, pas de panique, en l'absence du vrai faux père, la justice tranche de plus en plus souvent en faveur du faux vrai papa. Et c'est tant mieux. Moi, je la trouve inaudible, la voix du sang. Totalement recouverte par la voix des sentiments.

Pas de maman, c'est plus rare, mais ça arrive aussi. Et jusqu'aux tribunaux pareil. L'an passé, sur sept cent cinquante mille naissances, il y a eu soixante-six recherches en maternité, contre quatre cent soixante-quatorze recherches de paternité, ce qui est quand même beaucoup. Enfin, pas tellement, si l'on songe à toutes les bonnes raisons qu'on peut avoir, nous les nanas, d'accoucher sous X, ni vue, ni connue. Soit que, tout bien pesé, ce gamin, on n'y tienne pas vraiment. Soit qu'on craigne pour son image de star, dans le show-biz, on préfère les paillettes à la layette. Soit qu'on ait négligé, comme Mamiène, de faire le ménage et de jeter le père légal avant de s'offrir le père naturel.

Dans ce domaine, faut bien reconnaître, la femme a tous les avantages : elle peut revendiquer, sans problème, une évidente, une incontestable maternité. Et même s'il est rembourré kapok, rappelez-vous l'affaire Guillaume, par une dame en mal de petite graine qui fera passer un enfant trouvé pour l'héritier de son milliardaire d'époux, le ventre fait foi. Elle peut aussi la refuser, cette maternité : il ne fait pas la loi, le ventre. Elle peut surtout désigner le père de son gamin : Tu sais, pour Jeannot, ben, je me suis trompée, maintenant que j'y repense, il n'est pas à toi, il est à un collègue de bureau. Et bon, sa femme vient de le quitter en emmenant les enfants, alors tu serais bien gentil de le lui rendre, Jeannot... J'y vais là, le temps de boucler ma valise, j'en profiterai pour le lui ramener.

Ou encore : M'sieur ! M'sieur ! Mon gosse, c'est vous, le papa... Oui, parfaitement ! Même que vous me l'avez fait à Limoges, sur la table de maquillage, dans votre loge... Ça remonte à 1974, cette tournée ? Et après ? Je vous l'aurais bien dit plus tôt, mais c'est pas facile de fendre la foule de vos fans.

Remarquez, avec la nouvelle carte d'identité génétique marquée au sigle de l'A.D.N., cet enfant, on ne peut plus vous l'attribuer par erreur. Par défaut, si. Vos papiers, s'il vous plaît ! Vous refusez de les présenter, donc vous avouez ! Oui, je pense à Yves Montand. Et à Sylvester Stallone. Et à Chaplin dans le temps. De nos jours, vive les progrès de la science, l'arnaque à la star n'est plus ce qu'elle était. Le délit de fuite non plus. Et personne ne s'en plaindra. Surtout pas l'objet malgré lui, attention, objet fragile, de litiges souvent interminables qui l'abîmeraient moins s'ils étaient tranchés plus vite. Mais bon, dans ce pays, elle est d'un lent, d'un lourd, la justice ! Ce petit sera déjà pépé qu'il n'aura toujours pas de papa !

Une R 20 prise dans les embouteillages d'un retour de week-end sur l'autoroute du soleil. Couché, le soleil, et depuis belle lurette. Les deux gamins sanglés à l'arrière sur leurs rehausseurs ne peuvent pas en dire autant. Ils se disputent et se tortillent d'impatience, de bruyante fatigue :

— Laisse, c'est à moi, tu me l'as prêtée... Papa, Romain, il m'a pris ma petite voiture !

— Elle n'est pas à toi, elle est à ton frère, alors tu la lui rends et tu arrêtes de donner des coups de pied dans le siège avant. On va finir par avoir un accident... Arrête, t'entends ?

— Pourquoi ?

— Parce que !

Bonne fille, Justine ramène ses jambes sur la banquette, renverse la tête en arrière et, les yeux dans le vague, se met à chantonner, à dresser, sur le ton de la comptine, la liste de ses proches, de ses repères : Éric, papi, mamie, papa, maman, Romain... Romain, Éric, papa, maman, papi, mamie...

Oui, papi et mamie, les parents de Sylvie, de très braves gens, ils ont toujours pris le parti de « ce pauvre Alain », et l'ont invité à déjeuner, chez eux, près de Rambouillet avec les enfants... Et ton amie aussi, bien entendu... Caro ne tenait pas tellement à y aller, mais bon, plutôt que de rester seule un dimanche à Paris, Éric est à Montfort-l'Amaury, elle a fini par accepter. Ne l'a pas regretté. Les a trouvés charmants. S'est réjouie... Enfin, non, le mot est un peu fort... S'est félicitée de voir à quel point les enfants leur étaient attachés : un solide point d'ancrage dans des eaux familiales encore un peu tumultueuses, agitées.

Mais d'entendre Justine faire l'appel, en toute machinale inconscience, de sa parentèle en la passant, elle, sous silence, ça, Caro la jalouse, Caro la boulimique, Caro la coupable, ça la tue. Il va y avoir bientôt deux fois quinze jours qu'elle s'occupe des petits, qu'elle les materne, qu'elle les chouchoute au point d'en négliger Éric. Et de surcompenser quand il se retrouve seul avec eux rue de Tolbiac. Et de le délaisser à nouveau dès que les autres se pointent. Lui trouve ça injuste. Et là, du coup, un coup de poignard, elle aussi. Elle a mal. Elle se raidit. Pas question de se plaindre.

Alors, Alain, histoire de détendre l'atmosphère : Et Caro, tu l'oublies, dis, ma petite chérie ? Sa petite chérie ne dira rien. Elle s'est endormie. Caro n'a pas réagi. Alain va pour la consoler d'un mot, d'un geste, puis se ravise : inutile de dramatiser. Ça ne ferait qu'envenimer les choses.

Exact. Caro n'a pas manqué de mettre au négatif ce signe positif, cet élan de tendresse trop vite réprimé et toute à sa détresse, à son dépit, s'est murée dans un silence hostile auquel répondra la colère muette d'un Alain à son tour offensé : Qu'est-ce que j'ai dit ? Qu'est-ce que j'ai fait ? C'est pas parce qu'une petite fille de cinq ans l'a ignorée que... Oh, et puis ras le bol des complexes de madame ! Ça allait mieux, mais là, elle redevient complètement parano, ma parole... Persécutée par la terre entière : le Snobinard, la Galette, sa surveillante-chef, moi, ma moufflette... Est-ce que je fais la gueule chaque fois qu'Éric m'envoie péter ? Non, j'encaisse, j'essaye de me mettre à sa place.

Pas très confortables, faut reconnaître, ces places réservées ou squattées, en sens contraire de la marche du train-train familial à l'ancienne. Remarquez, on finira par s'y faire, faudra bien... A moins... A moins que dans un avenir pas très lointain : Familles, connais pas ! Connais plus ! C'était comment, une famille ? raconte ! Alors, voilà, on n'avait pas encore inventé la fabrication des bébés à la chaîne et en flacons. Chacun d'eux était élevé soit par un seul parent, mâle ou plus souvent femelle.

Soit par les deux, mais ça, au début du XXIe siècle, c'était déjà devenu assez rare. Soit par une ribambelle de parents d'occasion qui vivaient parfois ensemble sous prétexte qu'ils s'aimaient. L'amour? Mais ça n'était pas interdit? Pas encore. Maintenant, là, oui, on n'autorise plus que la sexualité. On l'encourage même. A condition qu'elle soit aseptisée et, naturellement, détournée, coupée de son but, de son prolongement initial : la conception. Oui, là, maintenant, c'est chacun chez soi, chacun pour soi, dans *Le Meilleur des mondes*... Celui qu'a si bien décrit Aldous Huxley, ce prophète de génie.

— Qu'est-ce qu'il y a encore, mon cœur? Tu chiales?

— Moi? Non, mais ça va pas! Pourquoi je... Oh et puis, oui, tiens! Je chiale si je veux. Tu me passes les Kleenex?

— Il n'y en a plus. Je me suis servi du dernier pour essuyer la bouche de Romain à la station-service tout à l'heure. Il était couvert de caramel... Ça, des sucettes, il en reste. Si t'arrêtes de pleurnicher, il va t'en donner une, Alain, espèce de grosse bêtasse.

Pendant ce temps-là, un petit garçon de huit ans, un enfant à la clé, que son père a déposé rue de Tolbiac le dimanche en fin d'après-midi, s'attarde à l'arrière de la voiture :

— Allez, monte avec moi, papa. Maman dira rien. Elle sera pas là. Ils rentreront pas avant...

— Non, mon grand, une autre fois. Mamiène m'attend, tu sais bien, on doit sortir dîner.

— Juste une minute... T'as même jamais vu comment c'est où j'habite maintenant...

— Écoute, j'ai vraiment pas le temps.

— T'es pas gentil. Tu me laisses toujours tout seul... Elle aussi!

— Qu'est-ce que tu racontes, voyons, Éric? On vient de passer quarante-huit heures ensemble. Quant à ta mère...

Oubliant que, cette fois-ci, c'est lui qui a avancé

166

l'heure du retour, à la dernière minute, sur simple
coup de fil d'un copain : Ça va? Ces grandes agapes
dominicales, ça s'est bien passé? Vous ne vous êtes
pas trop goinfrés, au moins?... Non, parce qu'on se
disait avec Martine : si on allait se faire une petite
bouffe, ce soir, rien que nous quatre... J'ai découvert
un bistro ouvert le dimanche à la Bastille... Une merveille... D'accord? Agacé, mécontent — C'est quand
même pas normal, Caro pourrait au moins être là
quand il lui ramène le petit —, Roland se tourne vers
son gamin : Allez, décroche ta ceinture et sors de là.
O.K., je monte avec toi, je jette un œil et je repars
vite fait.

A peine entrés dans l'appart :

— Bon, où c'est ta chambre? Ici? Non, là?
Montre voir... Ça, alors! Mais c'est épouvantable! Un
réduit, un placard à balais... Comment ils te traitent,
mon pauvre chéri! Ça ne se passera pas comme ça!
Elle va m'entendre, ta mère, crois-moi! Quand je
compare avec ton studio rue de Grenelle! Tu serais
drôlement mieux chez nous. T'aimerais bien, hein,
mon grand?

— Et maman, je la verrais quand?

— Un week-end sur deux. Pareil que moi maintenant. Tu pourrais même te servir de mon vieux
Macintosh. Faut que j'en rachète un neuf.

— Je pourrais m'en servir tout le temps? Il sera
rien que pour moi?

— Absolument. On l'installera dans ta chambre.
Ce serait chouette, non?

— Et maman, qu'est-ce qu'elle dira?

— Je vais lui parler... Oh! là là là! t'as vu l'heure!
Qu'est-ce qu'elle peut bien foutre? Bon, c'est pas tout
ça, mais faut que je me sauve... A dans quinze jours...
Non, un mois, la prochaine fois, je ne serai pas là.
Allez, tchao, mon grand, on se téléphone, O.K.?

Quand ils sont arrivés, enfin, Caro, rancœur et
repentir mêlés, s'est précipitée sur Éric, il était couché par terre devant la télé :

— Viens là, mon amour à moi, viens m'embrasser... Il y a longtemps que t'es là? Tu as dîné chez ton père avant de rentrer, j'espère...

— Non, j'ai pas dîné. Papa m'a ramené très tôt. Même qu'il est monté et qu'il est pas content, mais alors pas du tout, même qu'il la trouve nulle, ma chambre... Et il a dit que...

— Ça, par exemple! Il vient ici passer l'inspection derrière mon dos et il a le culot de... Non, mais de quoi je me mêle? T'entends ça, Alain!

— Oh, écoute, la barbe, c'est vraiment pas le moment. Il faut coucher les petits... Viens faire dodo, mon bébé... Et toi, Justine, les mains, la figure et les dents. Et après, au lit. Non, on ne traîne pas devant la télé avec Éric, on obéit! Éteins-moi ça, Caro, je t'en prie, sinon, elle voudra jamais aller se coucher.

— Ben et moi, alors, maman? Moi, demain, j'ai pas classe le matin, la maîtresse est malade et j'ai le droit de regarder le film, et il est pas fini, et je serais bien mieux rue de Grenelle, papa l'a dit.

— Bravo, Alain! Joli travail! Non, c'est vrai, ça, si Justine fait des caprices, Éric n'y est pour rien. Je ne vois pas pourquoi il serait puni.

— Bon, bon, très bien, je n'ai rien dit. Viens, ma chérie, sois mignonne, il est très tard, tu es morte de fatigue, demain tu vas à l'école et... Ah! non, tu vas pas te mettre à pleurer, tu la verras demain, la télé...

— Je veux rester avec Éric.

— Allez, ma puce, obéis à ton papa. Sinon il va priver Éric de télé et...

— Il est méchant, papa. Je veux pas qu'il me couche. Je veux que ce soit toi, Caro... Toi, t'es gentille.

— Tu m'aimes alors? Grand comment? Viens faire pipi...

— Grand comme le ciel.

— Et ton papa, ta maman, ta mamie, ton papi, Éric et Romain?

— Pareil.

— Pour de vrai?

— Non, pour de faux.

168

— Alors, qui tu préfères?

— Mamie, papi, maman, papa, Éric, Romain, patin, perlimpinpin.

— Et moi, où je suis?

— C'est pas bientôt fini, maman? J'ai besoin d'aller aux toilettes, moi aussi. Et d'abord, qu'est-ce que ça peut te faire qui elle préfère?

Alors, Alain:

— Il a raison, Éric. A quoi ça rime, ces questions stupides, enfin, Caro?

— Stupide, toi-même! Moi, mes préférés, c'est toi, Éric, et Justine, et Romain. Point final.

— Pas lui?

— Ah, ça, non!

— Alors, on retourne à la maison ou alors, je vais chez papa, je te préviens.

— Tu ne me préviens de rien du tout. C'est pas à toi de décider.

— C'est pas moi, c'est papa.

— C'est pas à lui non plus. Non, mais qu'est-ce qu'il croit? Un petit garçon de huit ans a besoin de sa maman.

— Pourquoi?

— Parce que.

Oui, je sais, vous ne comprenez pas. D'habitude, tout baigne dans ces cas-là. Que vous la mettiez au singulier ou au pluriel, famille, on vous aime. Alors, pourquoi ce cinéma? Justement ça n'en est pas. Ça ne ressemble en rien à ce qu'on voit à l'écran. L'écran miroir de notre temps, l'écran où se reflète, de film en débat, ce qui est devenu un phénomène de société. Quel coin de la société? D'abord celui de la pub, de l'édition et des médias, celui auquel appartiennent des personnages sans problème et sans complexe. A l'image de leurs auteurs.

Unions libres, prises multiples, haute tension, courts-circuits, raccordements, pannes de secteur, ça touche aussi, et même davantage, contrairement à ce qu'on pourrait croire, les couches populaires. Mais bon, sorti des films hyperréalistes anglais, ces merveilles d'humour, d'acuité et de tendresse, ou de certains téléfilms américains, sorti des docu et des radios-trottoirs, personne ne songerait aujourd'hui en France à braquer ses caméras sur un smicard.

Aujourd'hui, la famille Vidéo se compose, se décompose et se recompose autour d'un sémillant patron de P.M.E., un homme délicieux, ou d'une ravissante styliste, une femme exquise, mère célibataire d'un ou de plusieurs gamins de différents lits. Adorables, eux aussi. Elle habite un appartement fabuleux, loft ou duplex, plein de charme et de poésie. Gare sa Clio en double file. Porte un sac en bandoulière. Change de caleçon, de minijupe ou de jean à chaque plan. Et passe en superwoman toujours débordée, de sa planche à dessin à sa planche à repasser. Ses gosses l'adorent, ses ex la regrettent et son nouveau mec est fou de ses gosses, et de ses ex, et de leurs copines, et des mouflets de leurs copines.

Ils passent leurs vacances tous ensemble dans son vieux mas provençal ou sa vieille ferme normande ou son vieux chalet de montagne. Sublime : fleurs séchées, couettes et taies d'oreiller subtilement dépareillées, grosses tasses de faïence, living en désordre, cuisine tout bois, tout cuivre, tout osier. Et pendant l'année scolaire, quand arrive leur tour de garde, les pères enchantés, impatients, se pointent pile à l'heure le vendredi soir, klaxonnent sous ses fenêtres, au volant de leur décapotable, agitent le chèque de la pension alimentaire et lui envoient des baisers avant de serrer sur leur cœur la môminette que sa jolie maman leur confie avec un sourire complice et indulgent : Faites pas de bêtises, vous deux, soyez sages et dimanche ne me la ramène pas trop tard, promis, hein, chéri ? Leur nouvelle femme, s'ils ont eu le mauvais goût d'en prendre une, nage dans la béatitude la plus totale, la bouche ouverte en faisant des bulles. Et ses ados à elle, galvanisés, grimpent aux rideaux dans un élan de fraternelle allégresse. Le rêve, quoi !

Vous me direz : Tu fais bien pareil. Hôtel particulier à Saint-Germain-des-Prés, résidences secondaires à Montfort-l'Amaury et à Saint-Tropez, cabinet médical avenue Montaigne, contrat à durée indéterminée avec *Vogue*, fonctionnaire à l'Unesco grassement payé, ils puent le fric à plein nez, Roland, Clint, Mamiène et Bernard. Quant à Irène, Caro et Alain, ça n'est pas comme s'ils étaient instit, fille de salle ou garçon livreur. Non, justement, c'est exprès. C'est pour montrer qu'entre le rêve et la réalité, même dorée, il y a la pesante épaisseur d'intérêts, d'égoïsmes, de rancœurs, de maladresses, d'infantilismes, de remords, de lâchetés qui compliquent et dramatisent des situations moins faciles à dominer qu'on veut bien le dire.

Comme dans toutes les périodes transitoires — celle-ci va du mononucléaire au pluridimensionnel —, on se paume, faute de repères, on tâtonne, on expérimente, on recule pour mieux avancer, irrésistiblement porté par l'air du temps. Les droits, voilà le maître mot de ce XXe siècle finissant. Droits de l'homme, droits de la femme, droits de l'enfant et bientôt de l'animal. Droit à quoi ? Au bonheur ! Rien de moins. Individuel et collectif. L'ennui, c'est qu'il y a parfois contradiction dans les termes !

Et, attendez, c'est pas fini. Depuis fin 1989, l'enfant roi se double d'un enfant citoyen. L'O.N.U. lui a accordé la liberté d'association et de réunion, de conscience et de religion : Parle pas la bouche pleine, s'il te plaît, mon petit lapin, je ne comprends rien... Qu'est-ce que tu disais ?... Tu ne veux plus aller à l'église ?... Ah ! bon, la mosquée... T'aimerais pas mieux la synagogue, t'es sûr ? Bon, ben je vais demander à papa de te conduire... C'est quand ? C'est le vendredi ?

Liberté, Égalité, Fraternité, elle s'est donné une devise superbe, la République. Mais ce n'est peut-être pas une raison pour l'inscrire en lettres de plastique au-dessus de la télé familiale. Quitte à passer pour la dernière des réacs, moi je préférerais Tendresse, Devoir et Respect.

— Dis voir, Tonette, c'est vrai qu'il va venir habiter ici avec nous tout le temps, Éric ?

— Alors, il vient ce rot, hein, mon Teddy, mon bijou, mon poupon ?... Regarde, Sabrina, si c'est pas mignon, ça ! Bien plus joli que le bébé Pampers ou Blédine qu'on voit à la télé, pas vrai, mon petit amour à moi ?

— Totone, tu m'écoutes ? Il n'y en a plus que pour lui, j'existe aussi, non ?

— Ne me dis pas que t'es jalouse de ton petit frère à ton âge !

— Bien sûr que non, mais enfin, quand je te parle, tu pourrais quand même... Surtout que c'est vachement important. Alors il vient ou pas ?

— Demande à tes parents. C'est pas à moi de... Et d'abord qui t'a parlé de ça ? Éric ? Il en a envie ?

— Ça dépend des fois. Quand sa mère l'embête, oui. Ou Alain. Il l'aime pas trop. En plus, dans sa nouvelle école, ça va pas. Tu sais, son copain Ahmed, il est passé à l'ennemi. Il est entré dans la bande à Mustapha. Et ils arrêtent pas de le taxer. Ils lui piquent son argent de poche et...

— Oui, mais bon, on ne peut pas le changer d'école en pleine année scolaire. Et, de toute façon, sa mère ne veut pas en entendre parler. Elle est furieuse après m'sieur Roland et je la comprends...

— Qui tu comprends, Tonette ? De quoi s'agit-il, on peut savoir ? Et d'abord, qu'est-ce qu'il fait dans la cuisine, Charles-Édouard ?

— Je t'en prie, Mamiène, arrête de l'appeler comme ça, pauvre petit chat ! C'est pas un nom pour un bébé. Et pourquoi il prendrait pas ses repas à la cuisine, not' prince, tu peux me dire ?

— Parce que tout est prévu pour ça dans la nursery. C'était vraiment pas la peine de dépenser des cents et des mille... T'as tout là-haut. Même un ravissant fauteuil crapaud d'époque : ses biberons, c'est prévu pour.

— Désolée, je peux pas poser mon cul, une fesse

sur un fauteuil au troisième étage, une autre sur un tabouret au rez-de-chaussée. Je ne suis pas acrobate. Son goûter, c'est pas à la nursery qu'elle viendra le chercher, Sabrina. Qu'ici j'ai tout sous la main. Même que tu seras bien gentille de me trouver un couffin ou un panier à linge, si tu ne veux pas que Son Altesse Royale passe ses journées sur un oreiller calé entre le frigo et l'évier. Ça vaudra peut-être mieux que d'acheter tout un tas de trucs et de machins à Éric, histoire de le...

— Qu'est-ce que tu vas lui donner, maman? Une chaîne hi-fi? Non? Quoi alors? Un V.T.T.? Super! Il va être drôlement content. Dis, quand il viendra vivre ici, il ira à l'Alsacienne avec moi?

— Qui t'a dit qu'il allait... C'est toi, Tonette?

— Sûrement pas! Je ne tiens pas à être accusée de complicité dans une affaire de rapt d'enfant. Je risque d'en prendre pour dix ans.

— N'importe quoi! C'est pas nous qui... C'est lui... S'il préfère vivre ici, on ne peut tout de même pas le lui refuser.

— Pareil que s'il préférait une glace à un gâteau, pas vrai? Voyons, Mamiène, c'est pas à vous, encore moins à lui, d'aller contre une décision de justice. La garde a été confiée à la mère et...

— Oui, mais il avait quoi... quatre ans à peine. Maintenant il est assez grand pour qu'on lui demande son avis et qu'on en tienne compte.

— Enfin, Mamiène, qu'est-ce que tu dirais si Sabrina décidait de te plaquer pour se mettre en ménage avec m'sieur Clint?

— Pour ça, trop tard, c'est râpé. Il a quelqu'un, papa. Et ce coup-là, c'est grave. Même qu'il veut divorcer, il t'a pas dit, maman? et se remarier avec elle.

— Ça, par exemple! Et de quel droit? Il n'en est pas question. On n'est que séparés de corps et on s'était promis d'en rester là... Roland me tanne pour légitimer... Moi, je tiens bon, et ce salaud de Clint se permettrait de... Qui c'est, cette fille d'abord?

— Je la connais pas encore. Il doit me la présenter. Paraît qu'elle est vachement intimidée. Il arrête pas de m'en parler. J'en ai jusque-là! C'est une La Roche de Fourvières. Elle s'appelle Alix, elle a vingt-quatre ans, elle est hyperjolie, racée, tout ça, et il l'ai-ai-me! Il dit que ça changera rien entre nous, mais je sais que c'est pas vrai. C'est un menteur. Je m'en fous d'ailleurs. Toi aussi, hein, maman? T'es pas jalouse, dis?

— Si! Enfin, non, bien sûr... Encore que... Du coup, je vais te dire, pour Éric, c'est oui. Si Clint me plaque...

— Tu piques le petit à sa mère, hein, Mamiène, c'est ça? Et tu crois que ça compensera?

— Oui, quand même un peu. Au lieu de deux hommes à ma botte, j'aurai trois enfants à mes basques. Plus Gilles et Barbie... C'est pas des masses, d'accord, j'ai des copines, elles se vantent d'en élever huit ou neuf de différents lits, mais bon, faut faire avec ce qu'on a.

— Et pourquoi tu prendrais pas aussi Abi, maman, pendant que tu y es? Elle se plaît pas chez l'ami de sa mère. Et comme c'est la sœur de ta future belle-fille, elle fait déjà partie de la famille. T'aurais même pas besoin de l'adopter. En plus, c'est ma meilleure amie, elle sera sûrement ravie. Tu veux que je la tâte?

— Non, mais je rêve! Offrir des familles do it yourself à des gamines de leur âge... Déjà que toi, Mamiène, t'es toujours à essayer de raccorder des morceaux qui ne t'appartiennent pas et qui ne vont pas forcément ensemble, comment veux-tu qu'elles ne confondent pas tout. Abi, elle fait partie du kit marqué Irène, alors pas touche, Sabrina! Compris?

Un kit en forme de puzzle qui l'a d'abord laissée perplexe, Irène. Comment recomposer un paysage familial avec des pièces venues de tous les horizons? Bernard les lui a livrées pêle-mêle: Débrouille-toi, ma grande, moi, question humanitaire, entre mon

174

travail et cette marmaille, je sature. A toi de jouer. Et la voilà qui se pique au jeu, et qui se toque de cette trimballée de gamins disparates, et qui s'embarque avec armes, slogans et bagages dans le dernier bateau en vogue, un vrai paquebot, battant pavillon des droits de l'homme.

Et ceux de la femme, alors? La barbe! Elle a donné, beaucoup donné. Et ça n'a rien donné. Qu'elles se démerdent, à présent, toutes ces petites filles qui s'identifient à leur poupée Barbie sous le regard attendri de leurs bêtasses de mères. Avec son évangile selon sainte Simone (de Beauvoir) elle était en retard d'une guerre de religion. Plus personne ne songerait à le citer, aujourd'hui, dans ce pays. Ce serait aussi ridicule, aussi ringard que de brandir celui de saint Karl (Marx).

Pourtant, Dieu sait si on l'a vénéré, celui-là, adoré. On était à genoux devant. Devant Staline. Et Mao. Et le Che. Et Castro. Et Gorby. Et Ortega. Et, oui, Saddam Hussein! Maintenant à défaut d'être pour, on est contre. Avec la même violence, la même bonne conscience, la même véhémence. Contre Reagan, contre Milosevic, contre Pasqua. De procommunistes on est passés antifascistes. Et fascisme = racisme. Mais pas n'importe lequel. Uniquement celui des potes à Le Pen, les petits Blancs, incommodés par l'odeur, la fameuse odeur, du méchoui préparé par leur voisin de palier. Dans les beaux quartiers, sorti d'un taxi ou de l'épicerie du coin, l'immigré, connais pas. Et dans les tours de Babel de la Seine-Saint-Denis ou de Vaulx-en-Velin, les Zaïrois peuvent bien bouffer du Malien, personne ne songerait à le leur reprocher. Eux, ils ont le droit. Les guerres tribales ont beau venir du fond des âges, c'est pas leur faute, c'est la nôtre. Avant l'expansion coloniale, l'Afrique n'était peuplée que de bons sauvages.

Pour en revenir à Irène... Oui, oui, je sais, on a fait un petit détour, là, et vous en avez plein les bottes...

Elle, sa nouvelle devise, c'est : Touche pas à mes gosses. Des gosses dont elle entend respecter scrupuleusement, ça c'est son côté instit, l'héritage. Il s'agit de leur patrimoine culturel, bien entendu, pas génétique. Ce serait contraire à sa théorie de la primauté de l'acquis sur l'inné. Ils sont français, pardon européens, ces enfants venus d'ailleurs, mais ils ne doivent pas, pour autant, être coupés de leurs racines. Quand ils seront plus grands, on les ramènera, le temps d'un séjour au Club Med, dans leurs pays d'origine. En attendant, on ne perd pas une occasion de leur signaler que leurs ancêtres, à eux, n'étaient pas gaulois, mais beaucoup mieux que ça.

Le résultat ? Pas évident. Attendez que je plante le décor de la scène et vous en jugerez. Irène, Bernard — il a repoussé son assiette, le nez plongé dans un dossier —, Abi et les gamins sont à table avenue de Breteuil. Le dîner se termine dans le désordre d'ordres auxquels personne n'obéit :

— Va chercher les yaourts, tu seras gentil... Arrête de m'embêter, tu veux... Taisez-vous un peu, on ne s'entend plus penser ! Tu disais, Ira ?

— Je demandais à M'bokolo pourquoi il ne veut plus jouer avec Thibaut Martinet à la récré... Qu'est-ce qu'il t'a fait ? Il est brutal ? Il est sournois ? Il est... ?

— Il est noir, voilà ce qu'il est !

Alors, Virgile :

— Ben, toi aussi, voyons, M'bo !

— Non, lui, c'est un sale nègre, pas moi.

— Ce qu'il est con, ce mec ! Les Noirs, c'est des nègres. Moi, je suis blanc, alors je suis un Caucasien.

— Enfin, Virgile, tu n'as pas honte ? D'abord, on ne prononce pas ce mot-là ici...

— Quel mot ?

— N.È.G.R.E. Ensuite on ne dit pas noir, on dit black.

— C'est pareil.

— Non, je regrette, ça n'a rien à voir... Abi, tu pourrais aider ta sœur à desservir, non ? Marrant, elle, elle est montée sur ressorts et toi, tu as du plomb sous les fesses !

— Pourquoi moi et pas les garçons ? Et puis d'abord, elle a ça dans le sang, Lê-Xuân. L'Asiatique, c'est hypertravailleur, hyperintelligent, tout le monde le dit. Même que d'ici trente ans, il sera jaune, le président des États-Unis.

— Oui, bon, peut-être, mais en attendant, tu vas me faire le plaisir de ramasser les miettes...

— Hein, que je suis pas un N.È.J.R.E., papa ?

— Pas J, G : N.È.G.R.E... Demande à Ira, tu vois bien que je travaille.

— Mais non, mon petit bonhomme, t'en es pas un, enfin, tu sais bien, depuis le temps que je te l'explique, tu es un Mélano-Africain. Tu es né au Burundi. Tu appartiens au groupe nilotique. Il y en a cinq, des groupes. Les quatre autres sont... Répète après moi... soudanais... guinéen... congolais... sud-africain... zambézien. Et ta tribu, c'est ?

— C'est les Tutsis. Et ils sont grands, ils sont forts, ils sont intelligents, ils sont beaux, ils sont riches, ils sont plus gentils que les autres, là... Ceux qui ont été battus au Rwanda... C'est des méchants. Ils sont moches en plus !

— Les Hutus ? Qui a bien pu te dire une chose pareille ?

— Abi. Elle l'a vu à la télé... Hein, que c'est vrai, Abi ? Dis, papa, demain c'est mercredi, alors, ce soir, on a le droit de la regarder ?

— Absolument. Vous avez un docu épatant sur Arte : Une journée chez les Papous en Nouvelle-Guinée. Et comme j'y vais le mois prochain...

— Tu pourrais peut-être nous ramener un petit. Qu'est-ce que t'en dis, Abi, ça doit être trognon, un bébé papou...

— Ouais, mais après ça grandit. Je connais pas, moi, le Papou... C'est comment ? C'est fidèle ? C'est obéissant ? C'est propre ? C'est gentil avec les enfants ? En tout cas, c'est pas des gens d'appartement, les Papous. Va falloir le sortir matin, midi et soir, sans compter les heures de square... Pourquoi on prendrait pas un caniche nain à la place, ça, c'est hyperchouette comme race, hyperintel...

— Voyons, chérie, on ne dit pas race, on dit ethnie... Et à ce compte-là, je préfère un chien esquimau, pardon, inuit. Ils sont superbes. Gris avec des yeux bleus. Et le gris, ça va avec tout, le noir, le blanc, le jaune, le cuivré. Ça ferait très bien dans le tableau.

Vous connaissez ma théorie, ce n'est pas la mienne d'ailleurs, je l'ai piquée à je ne sais plus qui : il n'y a pas d'amour, il n'y a que des preuves d'amour. Bien sûr, la preuve par neuf on ne peut pas la faire tous les jours. Faut vraiment sauter sur l'occasion. Par exemple ? Arrêter un T.G.V. Il vous fonce dessus à 350 à l'heure et vous agitez les bras, jambes écartées sur la voie en hurlant de trouille, exaspérée : Là, t'es contente ? Tu l'as, ta preuve ? Bon, alors relève-toi et dégage... Grouille, bon Dieu !

Ou encore : Ces treize fillettes, quand il avait fini de s'amuser avec, en toute innocence, attention, m'sieur le président, c'est moi qui les égorgeais avant de les couper en morceaux et de les mettre au four ou en cocotte... Non, mon mari, lui, n'y touchait pas. La viande blanche, genre veau, volaille, tout ça, il n'aime pas. Moi, si. Moi, les steaks saignants, ça me dégoûte, j'ai horreur de ça.

Mais bon, sans aller jusque-là, il y a des signes, des attentions, des marques d'amour. Marques déposées : fleurs, colifichet ou cravate aux dates anniversaires de ce qu'on désigne aujourd'hui sous le terme un rien complaisant et satisfait de « notre couple ». Sous-marques ou contrefaçons : Cris et barrissements de la bête en rut. Et déclarations sur l'honneur ou sous serment.

Remarquez, moi, je n'ai rien contre les mots fantaisie, la passion plaquée or ou argent. Ça a peut-être moins de valeur que du dix-huit carats, mais il y a

178

d'excellentes imitations et, à ce prix-là, on pourrait quand même en offrir plus souvent à ceux ou plutôt à celles, les mecs n'y tiennent pas tellement, qui ne peuvent pas s'en passer.

J'en suis. Couette et Nanou aussi. Couette surtout. Plus féminine que sa copine. Plus dépendante, plus soumise au regard de l'autre. Leur couple, elles vivent ensemble, là maintenant, un drôle de couple, mais bon, un couple. Un de ces couples, il y en a de toutes sortes — mère-fille ou fils, employeur-employé, voisines de palier, collègues de bureau, amies de cœur, copains de régiment — qui se font et se défont tout au long de la vie... Leur couple, donc, repose sur ce bon vieux partage des rôles, maman tricote, papa bricole, et cet éternel rapport de force, dominant-dominé, auquel elles croyaient échapper en ne s'aimant pas d'amour, mais d'amitié.

Non pas que ça leur pèse, pas du tout, elles réalisent, enfin, le rêve, le cauchemar pour un homme, de tant de femmes, jeunes encore, pleines d'illusions, j'en étais : Quand j'aurai le courage de le quitter, ce con... Quand les enfants seront partis... Quand j'aurai pris ma retraite, plutôt que de tourner en rond ici toute seule, je ne fais ni une ni deux, je me mets en ménage avec Ginette, ma meilleure copine. Entre filles, on s'écoute, on se comprend, on se devine, on se chouchoute, on ne lésine pas sur la tendresse. Exact. Sauf que, le jour venu — Ginette, là, pour le moment, elle ne demande que ça, vous en êtes déjà à vous partager les pièces de votre futur appart —, Ginette, si vous lui en reparlez, vous regardera stupéfaite. Vieillir ensemble ? Où on avait la tête ? Même si on en fait le même usage, le coup du rasoir— Quand tu me piques le mien tu pourrais au moins le rincer—, fini, ça, en ce qui me concerne, terminé ! Ma solitude, je l'assume, je la souhaite, j'en ai besoin. Je ne pourrais plus la partager avec qui que ce soit, mec ou nana. Pas toi ? — Ben... Oui, au fond, peut-être...

Laissées à elles-mêmes de bonne heure, Couette et

Nanou s'offrent, au contraire, sur le tard, le plaisir de trouver la lumière allumée — C'est toi ? — quand on rentre chez soi et le réconfort d'un regard attentif, disponible, indulgent : Qu'est-ce qu'il y a qui ne va pas, ma grande ? Viens là... Viens, on va se faire un bon pia-pia, bien arrosé. Qu'est-ce que tu prends ? Un Coca Light ou un doigt de rosé ?

Ce qui ne les empêche pas de se chipoter, de se taquiner, de se brouiller et de se réconcilier, histoire de continuer à se chercher, maintenant qu'elles se sont trouvées, livrées, clé en main, l'une à l'autre : Alors, raconte, tes parents... La guerre... Et ton mari, où tu l'as rencontré ?... Et Roland, avec toi, il était comment ?... Et Éric, tu peux pas imaginer l'amour que c'est, Nanou...

— Comment, je peux pas imaginer... Ça, c'est pas mal ! C'est moi qui l'ai élevé.

— Oui, pendant les vacances et seulement jusqu'au divorce de ses parents, parce que, après, qui s'en est occupé ? D'ailleurs, il n'arrêtait pas de te parler de moi, Mamie-Couette par-ci, Mamie-Couette par-là, quand il t'arrivait de le prendre à Loguivy. Même que t'en étais malade, ma pauvre Nanou. Malade de jalousie.

— N'importe quoi !

— Si, parfaitement. Au début qu'on se connaissait, qu'on se racontait plein de trucs, tu me l'as avoué, tu...

— Je te demande bien pardon, ma petite Couette, c'est toi ! Il était toujours à te raconter ce qu'il faisait ici en Bretagne avec sa Nanou, la pêche à la crevette, les dîners-crêpes, tout ça... Il ne se plaît pas dans le Midi. La chaleur, ça le rend malade. D'ailleurs, c'est très mauvais pour les enfants. Tiens, ça me fait penser, tu nous a inscrites sur la liste d'attente pour les vacances de Pâques ? Ici à Loguivy. Bien sûr.

— Oui, mais c'est sans espoir. J'ai demandé à avoir Sabrina, Éric et, si possible, Tonette et le bébé. Elle, elle ne dirait pas non, elle m'adore. Mamiène serait ravie, tu connais ma fille, elle n'a qu'une envie, s'offrir une nouvelle lune de miel à Tahiti, sous les cocotiers, avec Roland. Et faire du dos crawlé pour retrouver la ligne et se durcir le bide. Seulement, voilà, pas lui. Lui, rien à faire. Lui, Saint-Tropez, il n'y passera que quarante-huit heures, du samedi matin au lundi après-midi, mais faut que tout son petit monde soit là. Alors, si on veut voir les gamins, vaudrait mieux essayer de réserver deux chambres au Clos Pistou. Pas évident ! Même s'ils permettent à Tonette de coucher avec Teddy, ce qui m'étonnerait, tu les connais, tout doit être déjà réservé...

— Aucune importance ! Moi, j'en ai marre de quémander un droit de visite. Je croyais qu'en s'y mettant à deux, on multiplierait nos chances. Mauvais calcul. On les réduit, au contraire. J'en arrive à me demander si nos petits-enfants, on ne devrait pas les faire nous-mêmes. Pareil que Jacques Martin.

— Comment ça ?

— Simple. Moi, je m'engage à fournir la matière première. Pas grand-chose d'ailleurs, suffit de dénicher un ovule et un spermato. Et toi, tu te charges de la fabrication. Ils sont très bien outillés pour ça en Italie. Ils ont sorti, il n'y pas si longtemps, une mamie-maman de soixante-deux ans. Un record. Toi, avec sept de plus, tu le battrais facile. Après quoi, on ne demanderait plus rien à personne. Notre bébé, on l'élèverait toutes seules, comme des grandes. Qu'est-ce que t'en dis ?

— Que t'es complètement folle, ma pauvre Nanou. Bonne à enfermer.

— Mais non, pourquoi ? Écoute, tu as exactement le physique de l'emploi. Tiens, regarde-toi dans la glace, les cheveux blancs, les petites lunettes, le châle, le gros ventre... Avec des mitaines, tu serais géniale en jeune accouchée. Tu feras la couverture de tous les magazines, pareil que Clint Eastwood ou Montand. Pourquoi est-ce que, eux, ils auraient le droit de se reproduire jusqu'à perpète et pas nous ?

— Parce que, eux, ils engendrent et que nous, on enfante et que c'est pas pareil...

— En quoi?

— Je ne sais pas, moi! Les malformations, tout
ça... Et puis, bon, un vieux monsieur et une jeune
femme, ou le contraire, à la rigueur, passe! Il peut
espérer garder au moins un de ses deux parents
jusqu'à sa majorité, le gamin. Mais courir l'inscrire à
l'orphelinat avant le troisième mois de grossesse,
pareil que maintenant à la crèche, c'est d'un égoïsme
monstrueux. Encore une chance qu'en France ce soit
interdit aux plus de cinquante-cinq ans.

— Sauf si ton bonhomme t'a filé le sida. Là, tout
le monde trouve ça normal: Un bébé, chère petite
madame? Pourquoi pas? Ça vous remontera le
moral. Tiens, ça me donne une idée... Dis voir,
Couette, elle t'a pas prescrit des piqûres de je ne sais
plus quoi pour ton mal au dos, la marchande de
journaux?

— Oui et alors?

— Alors, tu sais, la gardienne du 27...? Mais si,
elle fait des retouches, même que je lui ai donné
mon pantalon beige à... Eh bien, son neveu est garçon de café dans le XIXe. Bonne clientèle, rien que
des habitués. Pas en salle, aux toilettes. Il ne lave pas
les verres, il ramasse les seringues... Allez, viens, on y
va!

Un dimanche matin à Montfort-l'Amaury. Les
enfants font tanière sous la couette de Sabrina en
bouffant des croissants raflés sur la table du petit
déjeuner. A l'ordre du jour: le transfert d'Éric. Comment l'obtenir. A quel prix le négocier.

Celui d'Abi a fait l'objet d'un tour de table la veille.
Simple prise de contact. Elle se laisserait bien tenter,
mais se sent liée à l'Olympique de Breteuil par son
nouveau contrat. Rien de bien mirobolant, mais il
est peut-être un peu trop tôt pour engager des pour-
parlers avec le Paris-Grenelle. Ce ne serait pas très
fair-play vis-à-vis d'Irène.

— Bon, alors, reprenons. Qu'est-ce qu'il t'a proposé, Roland? Son vieux Macintosh? Je te préviens, il est complètement déglingué. Tu dois en exiger un neuf. Un portable. Comme ça, on pourra l'amener ici. Et deux V.T.T. L'autre, ce sera pour moi.

— Tu crois pas que c'est un peu beaucoup, deux vélos, Sab? Vous risquez de tout faire capoter.

— Écoute, Abi, t'es pas partante, alors ne t'en mêle pas, laisse-moi faire. S'ils veulent renforcer leur équipe, faut qu'ils y mettent le prix. Voyons voir... Qu'est-ce que tu dirais de signer en échange d'une chaîne hi-fi, Éric?

— Et sa mère, à Éric, elle en dirait quoi, d'après toi?

— Elle a raison. Maman voudra jamais. Elle veut me garder.

— Et toi, tu tiens pas tellement à la quitter non plus, hein, dis-le? Non, parce que si c'est comme ça, pas la peine que je me fatigue à...

— Je veux bien venir, mais...

— Mais quoi? Et d'abord tu veux bien ou tu veux beaucoup? Tu réponds pas? O.K., la question est réglée. Allez, dégage, Éric. On a des choses à se dire, Abi et moi. Pour la tanière, tu repasseras.

— Non, non, moi, je suis d'accord. C'est ma mère qui... Elle dit que le juge a dit que j'étais à elle et que papa a pas le droit de me prendre et qu'il osera quand même pas me kidnapper.

— Oui, ben, la mienne de mère, tu sais ce qu'elle dit? Que le juge peut très bien revenir sur sa décision. Suffirait que tu demandes le divorce.

— Moi?

— Oui, parfaitement! Elle a un amant, Caro, même qu'elle vit avec. Et ça, toi, tu supportes pas.

— Enfin, Sab, être cocu, c'est plus une cause de divorce.

— T'arrêtes de me pomper, Abi? Pas pour un mari. Pour un enfant, oui. Regarde ce qui est arrivé à Margot, la grande bringue en 5e B. Elle vivait avec sa mère et son ami. Hypersympa, paraît, le père divorcé d'une de ses copines. Mais son père à elle leur a envoyé un huissier de justice et un commissaire de police : Vos papiers ! Flagrant délit d'adultère, tout ça... Et bon, bref, Margot, le juge l'a donnée à son père. Ah ! mais j'y pense, ils ont divorcé Roland et Caro, alors, pour l'adultère, ça ne pourra pas marcher. On doit pouvoir trouver autre chose. Faut consulter un avocat. D'ailleurs, t'en connais un, ou plutôt une, Éric, tu te souviens, celle de S.O.S. Papa. T'as qu'à demander son numéro de téléphone et son adresse à Alain.

— T'es complètement folle, Sab ! T'imagines un peu, Alain : Qu'est-ce que tu veux, mon chéri, j'ai pas compris... Engager une procédure ? Pas con ! Bon, alors, les coordonnées de M^e... Voyons, voir... T'as de quoi marquer ? C'est le 42 01 25 18. Appelle-la de ma part.

— Qu'est-ce que ça aurait de tellement extraordinaire ? Alain doit pas pouvoir le piffer, Éric. Il serait sûrement très content d'en être débarrassé.

— C'est même pas vrai ! Il m'aime beaucoup, maman me l'a dit. C'est moi. Moi, j'en ai marre de lui. Justine et Romain, ça va, mais quand ils sont là, maman est toujours à s'occuper d'eux. Et quand je reviens de l'école, il n'y a jamais personne. Et elle est nulle, l'école. Et... Je voudrais que ce soit comme avant. Dis, Sab, c'est vrai qu'ils vont se marier, papa et Mamiène ?

— Tu sais, mariés ou pas, ça les empêchera pas de se séparer, maman et ton père si... Ce serait dommage pour Teddy.

— Et pour nous alors ?

— Voyons, Éric, nous, on n'est plus des bébés.

— Ouais, mais tant qu'on est bébé, on est mignon, alors ils restent ensemble, les parents. Et après, quand on est grand, ils nous aiment moins, alors ils s'aiment plus.

— Ils disent que si. Qu'ils nous aiment pareil. Moi, je n'y crois pas non plus. Si c'était vrai, elle aurait pas pu le virer, Clint, maman. Roland, elle l'aime mieux que moi, c'est sûr. T'as pas connu ça, toi, Abi.

T'as beau dire, en cas de divorce, un parent unique, c'est drôlement moins flippant. Bon, enfin, l'important, c'est que nous, on soit ensemble. Il y a sûrement moyen d'arranger ça. Je vais me renseigner. Et toi aussi, Abi. Prochaine tanière, dans quinze jours. D'ici là, essaye de te secouer un peu, Éric. Les scènes, les violences, les caprices, les bouderies, les insolences, vas-y carrément, hésite pas, c'est tout bon.

— A la maison, facile, mais à l'école?...

— Non, là, tu mouftes pas. Tu chiales. La tête dans les bras. Et si on te demande pourquoi, si on t'interroge, tu dis que tu ne répondras qu'en présence de ton avocat.

— Non, Sabrina, l'avocat pour enfants, ils ne le font qu'à partir de treize ans. Pour Éric, ça n'irait pas, ça taillerait trop grand. Remarque, il pourrait demander à être entendu par le juge directement, mais tu le connais, il voudra jamais. Et de toute façon, on n'aura pas besoin d'en arriver là.

— T'en es sûr?

Oui, il en est sûr, Gilles, sûr et certain. Il a fait son droit, du droit international et c'est à lui qu'en bon imprésario Sabrina a demandé une consultation.

— Alors, qu'est-ce que tu ferais à ma place?

— A ta place, rien. Mais à celle de mon père...

Et le voilà qui, le soir même, essaye de se dégoter un client en piégeant un Roland très tendu, très énervé — il dispute un match de deuxième division devant sa télé, le foot, c'est sa passion — pour y aller de son conseil. Un Roland exaspéré, furieux d'être dérangé: De quoi il lui parle là, ce petit con?

— Ah! ça non, Gilles, tu ne voudrais tout de même pas que j'aille... Il n'en est pas question! Je préfère renoncer. D'ailleurs, je n'y tiens pas tellement. Ton petit frère insistait pour que je lui tienne compagnie, un dimanche, rue de Tolbiac, en attendant le retour de sa mère. Nous, on devait sortir dîner avec des copains... Et bon, je lui ai dit ça, comme ça...

— Comme on jette un os à un chien avant de prendre la porte. T'as pas honte, Dad ?

— Non, pourquoi ? Si on ne peut plus lancer un propos en l'air sans que ça vous retombe sur la gueule...

— C'est lui que tu fous en l'air en revenant sur ta promesse.

— Je te demande bien pardon ! J'ai rien promis du tout, sinon que j'en parlerais à sa mère. Je l'ai appelée. De fureur, elle a mordu son bigophone et elle s'est étranglée avec. Je me suis énervé. Je lui ai crié dessus. Mamiène a rappliqué, trop contente. Elle a sauté à pieds joints sur cette superbe occasion d'emmerder Caro et elle n'arrête pas de me tanner depuis pour que je transforme l'essai... Mais bon, faut pas me demander l'impossible. Ton conseil, tu peux le remettre dans ta culotte. Plutôt crever que de le suivre. Éric, je l'adore, mais tout de même pas au point de draguer cette innommable pétasse... Bon, allez, ils vont au tir au but, là... Alors, tu permets ?

— Non. Éteins-moi ça tout de suite, Dad. Si tu veux que je m'occupe de ton affaire, tu vas...

— Mais, je t'ai rien demandé !

— Si ! Depuis ce fameux dimanche, t'as une façon de me fixer, lèvres tremblantes, regard affolé où papillonne toute l'angoisse inexprimée d'une requête qu'on n'ose pas formuler de peur d'être rembarré. Alors, tu te calmes et tu m'écoutes. Attentivement. Je vais te donner la marche à suivre. Ne m'oblige pas à me répéter, *Daddy darling*. A mille balles les trois minutes, tu risques de le sentir passer. Attends que je retourne mon sablier made in U.S.A... Voi-là... On y va !

Et c'est ainsi que Roland s'est retrouvé allongé sur un divan dans un petit cabinet médical infect, fétide, puant le renfermé, en face d'une vieille coquette, lourdes paupières fripées teintées de vert, faux cils baissés sur des yeux globuleux, sourire en forme de tirelire rouge baiser, grosses jambes haut croisées dans un fauteuil Voltaire style Monsieur Meuble :

— Vous devez vous demander ce qui m'a poussé à répondre enfin à votre invitation, chère madame Refoule... D'abord, le désespoir d'Éric. Ensuite, la curiosité. Je voulais savoir à quoi tenait l'incroyable revirement de mon ex-femme à votre égard. Elle ne jurait que par votre intelligence, votre perspicacité, votre charme, votre beauté... Si, si, et elle avait raison, je vous en parle en expert... Vous êtes superbe... Dans tout l'éclat d'une maturité sereine, épanouie... On a dû vous le dire bien souvent... Ça, avec vous, ça ne doit pas traîner, le transfert de sentiments du patient sur l'analyste... Oui, alors, justement, depuis que je lui ai suggéré de me confier Éric, il serait sûrement plus heureux, plus équilibré, chez moi, pas vrai ? Caro vous en veut. Elle a peut-être senti que vous étiez un peu de cet avis quand vous lui avez parlé du besoin chez un garçon d'identification à un modèle masculin. Jalouse probablement. Et de vous et de moi. En tout cas, elle vous débine tant qu'elle peut. Elle parle même d'interrompre ses visites. Je sais, moi, à quel point vous tenez, quand vous vous occupez d'un enfant, à assurer un suivi parental, c'est bien comme ça qu'on dit ? Alors, me voilà... Et j'en suis tout ému... Je ne comprends pas ce qui m'arrive... Dites, j'ai envie de vous demander quelque chose... Je peux ? Oui, c'est vrai, je suis là pour ça... Pour dire tout ce qui me passe par la tête... Alors, soyez gentille, montrez-moi votre profil droit... Rien qu'une seconde... C'est professionnel... Merci... C'est bien ce que je pensais, le front et le nez forment l'angle parfait... Pour arriver à ça, en salle d'op, faut se lever de bonne heure... Oh! là là! Je ne l'ai pas vue tourner, l'heure, moi... Faut que je me sauve, je vais être en retard à la clinique. Je vous revois très vite, hein ? Et vous me direz un peu... Mon ex, vous lui parlez de temps en temps, non ? Je sais que vous trouverez les mots qu'il faut pour lui montrer où réside le bonheur de mon petit garçon.

Chez son papa... Merci, chère amie! Merci de tout cœur. Combien je vous dois?... Non, non, ne me le dites pas... Laissez-moi rêver au son de votre voix jusqu'à la fin du mois.

Et voilà le travail! Un travail de pro. Le renard et le corbeau. Les gens lésinent trop souvent sur le compliment. Ça leur écorcherait la gueule. Ils ont tort. La flatterie, que dis-je, la flagornerie, servie à la louche ou au compte-gouttes, faut pas se tromper dans les doses, rien de plus payant. A moins de tomber sur un accro aux complexes, ça existe, vous ne serez jamais à la hauteur de ce qu'espère, de ce qu'attend l'ego le plus modeste. En secret. Et en vain.

Maintenant, chaque fois que cette pauvre Caro vient se confier à elle, en toute innocence, la Refoule ouvre un large bec et laisse tomber la proie guignée, en toute duplicité, par ce faux derche de Roland: Ah! tu m'as dans le nez, espèce de garce, et ben, tu vas voir: Voyons, chère madame, essayons d'analyser la situation... Est-ce qu'Éric ne serait pas en manque?... A la recherche d'une image, l'image du père? Avez-vous pensé à ce qui arrivera si vous ne répondez pas à cette demande?

Qu'est-ce que tu en penses, toi, Alain? Tu te rends compte de la responsabilité que je prends? Il n'est pas bien, Éric, ici, c'est vrai. Il sera peut-être mieux là-bas. Et...

— Et toi, s'il est mieux là-bas, est-ce que tu ne seras pas moins bien ici?

— Ah, non, je t'en prie, chéri, la question, ce coup-ci, c'est moi qui la pose.

— Désolé, tu ne te poses pas la seule, la vraie question, une question de principe: Est-ce que le bonheur d'un enfant passe, comme on le prétend aujourd'hui, par celui de sa maman ou est-ce qu'au contraire...?

— Oui, bon, O.K., j'ai compris. Faut que je me sacrifie, hein, c'est ça? Pareil que Sylvie. Au nom du Père, du Fils et...

— Parfaitement. Tu m'excuseras, mais le culte de Dieu la Mère, ça commence à bien faire.

Peut-être. N'empêche, ce culte-là, on n'en aura pas profité longtemps, nous, les nanas. A peine l'autorité paternelle est-elle devenue parentale qu'on le regrette déjà.

Les psy s'interrogent en scrutant l'horizon : Où il est passé, dites voir, le père ? Il n'y a plus que des mères célibataires à perte de vue. Ah ! si, tiens, en voilà un... Enfin, un père, pas vraiment, un père-mère... La mode est au parent unisexe et, contrairement à ce qu'on croit, c'est très mauvais pour les enfants ! Le bon vieux partage des rôles, il n'y a que ça de vrai !

Moi, je demande à voir. A voir la façon dont ils se comportent, ces papas-poules et ces mamans-coqs qui s'efforcent de répondre à tous les besoins de leurs rejetons. Si c'est en grande sœur ou en copain, cas le plus fréquent, alors là, je suis mille fois d'accord avec Tony Anatrella, encore un psy, mais pas con, un enfant a besoin d'interdits, de repères et de modèles imposés ou proposés par des adultes. Qui s'aiment de préférence. Ne serait-ce que de tendresse. C'est, hélas, la condition pour qu'il se développe harmonieusement. S'il s'est tissé autour de lui, dès le berceau, une relation à trois, l'amour qu'on lui porte restera indissociable de celui qu'on éprouve l'un pour l'autre. On a beau lui seriner, sur tous les tons, que pas du tout, que ça se transmet en ligne directe — nous, on se déteste, toi, on t'adore —, il n'en croit pas un mot.

Remarquez, on réagit pareil. On panique à l'idée que nos vieux parents veuillent divorcer. Ou pis : refaire leur vie. Quelle vie ? Leur vie, c'est nous, point final. On ne les voit plus que de loin en loin ? Et après ? Même ténu, même distendu, tant qu'un lien les retient l'un à l'autre, donc à nous, on se sent en sécurité, à l'abri. Qu'il se délite totalement, qu'il tourne à l'indifférence ou à la haine, et nous voilà jetés, nous aussi, abandonnés.

Mais bon, faut faire avec ce qu'on a. Et dans un monde à l'envers, un monde retombé en adolescence où seuls comptent l'amour ludique, l'amour-passion, l'amour physique, l'amour tout court, donc les amours à répétition, le seul partenaire à vie, notre vie d'adulte, c'est l'enfant. C'est lui qui nous sécurise. C'est autour de lui qu'on se construit! Il arrive qu'il soit assez costaud pour nous servir de tuteur. Dans le cas contraire, plus fréquent qu'on ne veut bien le dire, il faut peut-être essayer de le consolider avant de s'appuyer dessus. Le moyen? Simple : ne penser qu'à son équilibre, qu'à son bonheur. Aimer son ex comme on aime son frère ou sa sœur. Bref, se comporter en adultes. L'ennui, c'est qu'on ne l'est pas, justement. Ou alors, si rarement!

A partir de là, comment s'en sortir? Allez savoir! Je me souviens de mon désarroi quand je me suis trouvée dans la situation de Caro. Etre plantée là, par un mec, votre mec, c'est déjà pas la joie, mais être plaquée par un enfant, votre enfant, c'est l'enfer. Quelle que soit la façon dont on le prenne, un cocktail Molotov de sentiments contradictoires et contre nature qui vous explose dans la tête et les tripes, ça laisse des séquelles. Jalousie, doutes, remords, souffrance, regrets, angoisse, fureur, bref, un drôle de pastis.

Un pastis allongé à l'eau distillée par les proches, les copines, les psy, les profs, les magazines...

— Écoute, mon cœur, si j'ai un conseil à te donner, c'est de le prendre au mot, Éric. Il ne se plaît pas ici? Qu'il aille se faire voir ailleurs... Grand bien lui fasse!

— Il t'a dit ça, Alain? Enfin, voyons, Caro, c'est de la folie! Éric est encore beaucoup trop petit pour... Faut que je fasse poser ma péridurale, on reparlera de ça tout à l'heure.

— A en juger par ce 3 sur 20 en math, il a un problème, oui, certainement, votre petit garçon. Un problème avec les opérations. Vous en avez subi une récemment? Son père non plus? Curieux! Un problème relationnel en tout cas... Et alors son comportement en cour de récréation, très révélateur! Vous l'avez montré à un psychiatre?... Voyez, c'est bien ce que je dis! On peut se demander, en effet, s'il ne vaudrait pas mieux... A titre d'expérience en tout cas...

— Comment veux-tu que je sache, ma fille? On ne le voit plus, nous, le pitchoun... Tu pourrais quand même lui dire de nous appeler de temps en temps, ça nous ferait plaisir... Attends, je vais lui demander... Couette, qu'est-ce qu'elle t'a dit hier au téléphone, Mamiène, au sujet d'Éric?... Pas possible!... Non, je préfère ne pas te le répéter, Caro, tu risquerais de le prendre mal et ça retomberait encore sur lui, pauvre chéri.

En couverture de *Cosmopolitan* : Votre gamin veut aller vivre chez son père. Qu'est-ce que vous faites? Voir page tant. 1/ La sourde oreille. 2/ Une scène à tout casser. 3/ La gueule. 4/ Une jaunisse. 5/ Son dessert préféré. 6/ Un courrier bien saignant à votre ex. 7/ Un autre, à point, à votre avocat. 8/ La promesse d'une virée MacDo-cinoche mercredi prochain. 9/ Sa valise. 10/ Pitié.

Elle est mal, là, ma Caro. Elle a mal. Mal au ventre à la pensée qu'Éric veuille s'en aller. Mal au cœur à l'idée de l'obliger à rester. Mal à l'âme. La gueule, la scène, la sourde oreille, elle a tout fait. De *1/* à *8/*. Et ça n'a rien fait. Ou plutôt si. Ils la lui ont fait au chantage : Si tu refuses... A l'esprit de sacrifice : C'est pour son bien... A l'espoir : S'agit pas d'un départ sans retour... A l'usure : J'en ai marre d'Alain, maman, t'entends et marre de toi et... De guerre lasse, elle a fini par cocher le *9/*.

Complètement dévastée, anéantie, bourrée de Prozac, elle prépare la valise d'Éric, avec des gestes d'automate, sans dire un mot. Le gamin la regarde faire, assis en tailleur au pied de son petit bureau d'écolier encastré sous le châlit, hostile, désagréable, inchangé. Bizarre! Il devrait pourtant scintiller comme un arbre de Noël, faire des bulles, des bonds, des étincelles, gambader autour d'elle en poussant le cri de Tarzan, un cri de triomphante allégresse. Mais, non, pas du tout. Il l'observe par en dessous :

— Et ma game boy? Tu crois pas que je vais la laisser!

— Mais t'en as pas une chez papa? Enfin, chéri, tu ne vas quand même pas tout déménager... Avec quoi tu joueras pendant les week-ends où...

— J'amènerai juste ce qu'il me faut. Oh! et puis si tu veux pas me la donner, je m'en fiche. C'est un cadeau d'Alain, la même que pour Justine et j'en veux pas et de toute façon, comme vous allez lui donner ma chambre...

— A qui? A Justine? Qu'est-ce que tu vas encore t'imaginer? Jamais de la vie. Enfin, voyons, mon chéri, ta chambre elle est à toi...

— Sauf qu'elle sera à Romain... Je sais, je vous ai entendu, vous l'avez dit.

— On n'a jamais dit ça. On s'est demandé si on ne pourrait pas mettre son petit lit, là, entre l'étagère et ton bureau, pour qu'il y passe la nuit, rien que la nuit... Quand tu n'es pas là, naturellement. Pas question de transformer ta chambre en nursery.

— Mais, maman, tu comprends rien ou quoi? Vous pouvez bien faire ce que vous voulez, ça m'est complètement égal... Tiens, ça sonne, c'est papa... Non, pas la peine... J'y vais... Allez, salut!

— Maman, arrête de regarder ça, il est nul, ce débat... Il y en a marre, écoute, du chômage, de l'exclusion, des banlieues, tout ça. Pour une fois que t'es là, on pourrait peut-être parler d'autre chose, non? Allez, maman, coupe le son, au moins, et passe-moi un coussin... Génial! On n'est pas bien là, toutes les deux ?... Bon, alors... heu... Je voulais te demander... Pourquoi à Breteuil, vous faites lit à part et ici, quand il vient, tu le fais dormir dans la chambre de tes parents, Bernard ?

— Enfin, Abi, tu me connais. Je ne fermerais pas l'œil de la nuit, moi, si j'avais quelqu'un dans mon lit. J'ai horreur de ça.

— Mais c'est pas quelqu'un, Bernard, c'est ton ami.

— Justement ! Un ami, c'est pas un ours en peluche. Ça remue, ça ronfle, ça transpire, ça s'enroule dans la couette ou ça se prend pour un édredon. Ça se lève pour aller pisser, ça se recouche à tâtons en se cognant dans les meubles, bref, c'est infernal.

— Et les autres, alors, comment ils font ? Ils dorment tous ensemble, leurs parents à Éric et Sabrina... Clint, Caro, Roland, Alix, Mamiène, Alain...

— Ah non, Abi ! Ça ne va pas recommencer ! Tu m'as tannée pendant des années pour que je te trouve un papa. Je me suis exécutée. Tu ne vas quand même pas exiger que... Je l'adore, Bernard, mais dormir ensemble, ça m'empêche de dormir.

— T'es vraiment pénible, tu sais, maman, tu comprends jamais rien. J'y tiens pas du tout. Ce que je veux, c'est exactement le contraire, alors, tu vois !

— Non, je ne vois pas, je regrette !

— Tu le fais exprès ou quoi ? Si t'es pas folle de lui — moi non plus finalement —, laisse-le tomber. Et tout redeviendra comme avant. Tu te rappelles quand on se pelotonnait, toutes les trois, sur ce canapé, parce que, avec nous, ça ne te dérangeait pas, t'aimais, tu disais qu'on était comme une portée de chiots dans un panier...

— Ça, c'est pas mal ! Tu n'arrêtais pas de me faire des scènes à tout casser, sous prétexte qu'une famille monoparentale...

— D'abord, c'est même pas vrai... Et puis, maintenant, je trouve ça formidable... Sab aussi. Comparé à ce qui se passe chez elle et chez Éric! Moi, j'ai plus de chez moi, t'es jamais là... Regarde, ce soir, comme c'est cool... On mange quand on veut, où on veut. Pas la peine de mettre le couvert pour sept. De desservir. De se taper leurs devoirs, leurs disputes, leurs histoires, leurs cris, leurs... Avec toi, t'as beau être vraiment con, par moments, on arrive à se raconter plein de trucs. C'est hyperchouette. C'est... Remarque, normal, t'es quand même ma meilleure amie. Après Sab.

— C'est vrai? Ça me fait chaud au cœur, ce que tu me dis là, mon chéri... Dommage que tu t'en aperçoives si tard...

— Mais je pouvais pas savoir! J'aurais voulu une vraie famille. Ma mère, mon père et moi. Et Barbie. Au lieu de ça, faut que je m'appuie une famille pas comme les autres...

— Abi! Tu n'as pas honte? Comment tu oses parler de cette façon des handicapés? Tu serais pas en train de virer raciste, par hasard? Tu sors de ces énormités parfois... Avec Bernard, l'autre jour, on s'est vraiment demandé si...

— Alors, là, maman, tu m'excuseras, mais j'ai pas de leçon à recevoir de lui. Tu sais ce qu'il m'a dit samedi quand il m'a raccompagnée à la maison en voiture? Que tout ça, c'était bien joli, mais que ce qu'il aimerait, c'est avoir un enfant de toi, un vrai.

— Il a dit ça? Je ne le crois pas!

— T'as qu'à lui demander!

— Mais il est complètement fou! On n'a pas le droit.

— Ah non, pourquoi?

— Ça les rendrait trop malheureux, les autres, de voir qu'on leur préfère le nôtre.

Ça ne s'arrange pas, dites donc! Au lieu de venir passer le week-end rue de Tolbiac, comme prévu, quinze jours plus tard, Éric s'est défilé. Remarquez, elle l'a senti venir, Caro. Chaque fois qu'elle l'appelle rue de Grenelle après l'école, ou il refuse de lui par-

ler ou il lui raccroche au nez : Ouais, c'est moi...
Ouais, ça va... Ouais, ben, au revoir ! Et Tonette, c'est
toujours elle qui décroche, Tonette, très embêtée,
donc maladroite, empotée, elle ne sait pas sur quel
pied danser :

— Éric, c'est ta maman... Comment ça, tu ne veux
pas lui... En voilà des façons ! Éric, si tu ne...

— Non, madame Tonette, non, n'insistez pas. Ça
n'a pas d'importance. Il doit être occupé... A cet
âge-là, vous savez, les enfants... Vous devez être en
train de leur donner à goûter et... Je retéléphonerai
demain... Il ne vous dérange pas trop au moins ? Il
est sage ?

— Mais oui, mais oui, ne vous inquiétez pas, je
m'en occupe du mieux que je peux, pauvre petit
chat...

— Pourquoi vous dites ça, madame Tonette ? Il est
malheureux ?

— Pas du tout ! Qu'est-ce que vous allez vous imaginer ? Essayez de rappeler un peu plus tard quand
m'sieur Roland sera rentré. Je sais qu'il voulait vous
parler. C'est au sujet du prochain week-end... Il y a
un problème, je sais pas lequel... Allez, vous en faites
pas... Tout baigne !

Tu parles ! Elle a eu Roland au bout du fil. Un
Roland très désinvolte, très tutu panpan : Éric préfère venir avec nous à Montfort-l'Amaury, les voisins
font un grand méchoui, on ne va pas le priver de ça,
quand même ! Et comme elle protestait : Ah, je t'en
prie, Caro, ne va pas tout gâcher en exigeant qu'il
aille s'enfermer dans son placard à balais rue de Tolbiac au lieu de profiter de... A quoi ça t'avancerait, tu
peux me dire ? Il en ferait une maladie et...

Et bon, elle s'est écrasée, encore un coup. Écrasée,
vraiment, comme si un seize tonnes lui était passé
dessus, à l'idée qu'il puisse, qu'il veuille passer un
mois entier sans la voir. Elle, elle ne peut pas. C'est
pas pensable... Encore, s'il était loin, en province, à
l'étranger... Mais non, il est là, à portée de métro.
Alors, n'y tenant plus, elle y est allée, Caro. Elle s'est

pointée à la sortie de l'école et elle a attendu qu'il sorte, une mère parmi d'autres, sauf qu'elle n'était pas comme les autres. Elles bavardaient entre elles, les autres, souriantes, détendues, elles parlaient des instits, du centre aéré, de la date des prochaines vacances... Dans trois semaines, déjà, vous êtes sûre...?

Elle était là en intruse, en paria... Et... Tiens, les voilà! Elle l'a vu débouler de loin, son cartable sur le dos avec un petit copain... Mon Dieu, ce qu'il est mignon... Mais d'où ça sort, ce veston, ce pantalon de flanelle, ce... Cherche pas! Des pages mode enfant du *Figaro Madame* : Habillez-le en college boy anglais. N'empêche, ça lui va drôlement bien... Éric, mon chéri! Elle tend les bras vers lui et il se précipite, heureux, surpris, tout ensoleillé brusquement... Et puis s'arrête... Hésite... Se rembrunit. Un nuage passe. Un nuage en forme de Clio, la Clio de Mamiène qui vient se ranger le long du trottoir... La portière s'ouvre et se referme sur lui, et claque au nez de Caro, plantée là devant cette voiture qui redémarre avec son petit garçon. Il lui jette un regard trop vite détourné, par la vitre arrière.

— Assieds-toi comme il faut, Éric... Et attache ta ceinture. Qu'est-ce qu'il y a? T'as l'air tout chose...

— Moi? Rien... C'est maman. Elle était là...

— Mais, je ne l'ai pas vue, moi... Tu veux qu'on retourne? Remarque, avec ces sens uniques, le temps de... Elle sera repartie... Elle aurait pu prévenir aussi... Tiens, à propos, tu sais le méchoui... Ils le font pas, les Thiriez, ils ont un problème. Alors, tu devrais peut-être aller rue de Tolbiac quand même. Eux, ça leur ferait sûrement plaisir. Et nous, on en profiterait pour...

— Ouais, bon, très bien, si c'est comme ça...

Ça, pour leur faire plaisir! Ils lui ont déroulé le tapis rouge, rue de Tolbiac. Romain saute d'un pied sur l'autre, en gloussant, surexcité. Justine jubile :

Donne que je te porte ton sac... Viens voir dans ta chambre... Papa t'en a racheté une super de Nintendo bien plus chouette que la mienne... Alain confirme. Et Caro s'empresse. Elle a mis le couvert dans le living. Pas question de lui servir une purée jambon sur toile cirée comme d'habitude, à son petit prince.

— Encore un peu de frites, mon chéri, t'en as pris que trois fois... Non? T'es sûr? Je t'ai fait une mousse au chocolat... Sans les pelures d'orange, je sais que t'aimes pas... Tiens, sers-toi... Ah! flûte, je n'ai amené que les petites cuillers... Tu veux pas aller m'en chercher une grande à la cuisine, tu seras mignon.

Et lui, hautain :

— Demande à Justine. Moi, je sais pas où vous les rangez.

Alors, elle, blessée à mort :

— Comment ça, tu ne sais pas... Tu te fiches de moi ou quoi? Enfin, il n'y a même pas deux semaines que...

Là-dessus, à petits coups de pied sous la table, Alain lui tapote en morse, regards à l'appui : Ne réagis pas. Laisse pisser. Il le fait exprès. Va savoir pourquoi.

— Vous devez le savoir, vous, pourquoi. Sans vos conseils, jamais je n'aurais consenti à ce qu'il s'en aille...

C'est à grands coups de pied au cul, cette fois, qu'exaspéré, inquiet — l'absence d'Éric, la présence d'Éric leur bouffent la vie —, Alain a renvoyé Caro, elle n'avait plus aucune raison d'y aller, sur le divan d'une Mme Refoule trop contente de la récupérer. Roland l'a sauvagement laissée tomber dès qu'il n'a plus eu besoin de ses services. Elle devait le revoir, le petit aussi. Tintin! Il a fait annuler tous leurs rendez-vous par sa secrétaire. Ça, pour avoir été manipulée! Elle fulmine rien que d'y penser... Il le lui paiera, le chien! De quoi, elle lui parle, là, bille en tête, la mère? Elle n'a pas écouté. Savoir quoi? Va falloir qu'elle appuie sur la touche *replay* pour relancer ce début de dialogue.

— Alors, comment ça se passe avec Éric?

— Chez son père, je ne sais pas, il n'en parle que pour me narguer quand il vient chez moi, enfin, chez nous. Il est infernal, crispé, odieux. Je ne comprends pas... Vous devez savoir, vous, pourquoi... C'est sur vos conseils que...

— Vous ne comprenez pas qu'il vous en veuille de l'avoir laissé partir?

— Mais il le demandait, il l'exigeait même, il ne savait pas quoi inventer pour...

— Précisément Est-ce que le fait qu'il l'exigeait signifiait qu'il le souhaitait? Est-ce que ce n'était pas un test? Un moyen de mesurer la force, la nature de vos sentiments pour lui... Pour d'autres aussi... Votre ami, ses enfants?

— Alors, là, je nage complètement! Si c'est le cas, pas autre chose, pourquoi m'avoir poussée à...?

— C'est à vous qu'il faut le demander. Interrogez-vous et revenez me voir la semaine prochaine. D'ici là, vous aurez peut-être trouvé un élément de réponse...

— Cherche pas, va, ma pauvre Caro! La réponse, moi, je vais te la donner : ta Refoule, Roland lui a fait du gringue et...

— Tu rigoles? C'est un tas, cette mémé, un tas en forme de tiroir-caisse, voyons, Christine.

— Oui, mais ça, il s'en fout. Tu me l'as toujours dit, même que ce serait une moissonneuse-batteuse, si c'était dans son intérêt, il n'hésiterait pas à lui mettre la main au train arrière.

— Écoute, Chris, c'est sérieux! Moi, je disjoncte, là, j'en peux plus, je vais finir par me jeter... Alors arrête de plaisanter, tu veux!

— Et toi, tu veux quoi, au juste? Tu veux le récupérer, ton gamin, c'est ça? Alors, je vais te dire ce qu'il faut faire.

A bout de nerfs, à bout de forces et de larmes, Caro est allée demander un second avis au Pr Marie-Christine Delacrizfamilial, chef de clinique à l'hôpital des Parents Malades, spécialiste de la mèrcélibataire devenu un embrouillaminologue éminent. Sa réputation s'est élargie au point de l'obliger à agrandir son cabinet. Du tabouret en salle de travail, elle est passée au vestiaire de la materne. Et reçoit, sur rendez-vous, une très bonne clientèle, très fidèle, qui ira élargir ensuite le réseau clandestin tissé autour de la médecine officielle par les copines, les consœurs, les collègues et les cousines :

Combien il t'a dit qu'il fallait boire ? Deux litres par jour ! Il est complètement givré, ce mec... Éliminer ? Toi ? Éponger, oui ! Oublie ça et prends tous les soirs au coucher... Elle est beaucoup trop dosée, ta pilule. C'est pas ça qu'il te faut. Tiens, passe-moi cette pochette d'allumettes, je vais te le marquer. Une ordonnance ? Jamais de la vie ! Tu vas aller à la pharmacie, tu sais, celle de gauche en sortant du bureau. Là, tu verras une grande fille brune avec une queue de cheval, tu lui dis que c'est de ma part, et il n'y aura pas de lézard. Elle m'a donné du Stilnox, sans problème, quand Françoise m'a interdit le Rohypnol, vu que la belle-mère de sa nièce est contre.

Vous me direz : C'est pas un peu léger comme suivi médical ? Si tu t'arraches un matin à ton oreiller et que tu te retrouves la taie sur l'œil ou si tu te baisses pour relacer ta bottine et que tu ne peux plus te relever, t'as quand même intérêt à aller aux Quinze-Vingts ou à Broussais, non ? Oui... Sauf qu'on y attend pendant des heures, alors qu'en se pointant au boulot, pliée en deux, la tête sur les genoux et les bras en avant histoire de pas se cogner dans le mobilier, on est immédiatement prise en charge par le service compétent : Mon Dieu, ma pauvre chérie, qu'est-ce qui t'arrive ? Va au standard. Josette s'occupera de toi. Son mari, lui, il s'est bloqué en faisant le pont arrière à la gym. T'aurais vu ce travail pour le remettre à plat !

— Bon, alors, tu me le dis, Chris, ce que je dois faire pour qu'il revienne rue de Tolbiac, Éric ?

— Simple : d'abord, chaque fois qu'il rapplique, toi, tu décroches, tu débranches. Il peut te sortir n'importe quoi... J'ai couché avec maman Mamiène, la nuit dernière, papa était pas là et elle m'a pris dans son lit... Tu réagis pas. Ou plutôt si. Tu demandes : Et t'as bien dormi ? Elle ronfle pas au moins ? Ensuite, tu vas au B.H.V., rayons bricolage et peinture, il adore ça, Éric, et tu lui achètes — pour un gosse de cet âge-là, faudra pas grand-chose — de quoi foutre en l'air, de la cave au grenier, l'hôtel particulier de la duchesse de Bricard. Et enfin, surprise du chef... Revenez me voir le mois prochain, je vous dirai ça, chère petite madame. D'ici là, détendez-vous, ne pensez plus à rien. Ah ! si, très important. Faudra dire à votre ami de me téléphoner. Non, je n'ai pas besoin de le voir, j'ai besoin de lui parler... De quoi ? Vous verrez bien. Allez, ne vous faites aucun souci. Tout va s'arranger.

— Vraiment ? Ah, merci, professeur. Qu'est-ce que je vous dois ?

— Ta part de camembert, ta crème dessert et ton quart de vin. Depuis que Josyane m'a mise au régime, je vois plus clair tellement j'ai faim.

— Pourquoi tu vas pas consulter le Dr Amaigrissant, tu sais la nouvelle fille de salle ? Muriel, elle lui a fait perdre douze kilos en trois semaines. Tu manges ce que tu veux, sauf... Tout un tas de trucs, je ne sais plus lesquels... Elle prend cher, d'accord, un remplacement pendant son tour de garde et le mercredi et le dimanche, rapport à ses gosses. Mais, bon, paraît qu'elle est géniale.

— Allons, allons, mon bébé, mon Teddy d'amour... Arrête de pleurer comme ça... Tu le rends fou, ton papa. Éric, sois gentil, prends-le-moi et balade-le un peu. J'en peux plus, moi. Je me demande s'il n'a pas pris mal, pauvre petit chat...

Venir à Montfort-l'Amaury par ce froid, c'est complètement dingue... Qu'est-ce qu'elle peut bien fiche, Mamiène ? Il faut tout de même pas une heure pour préparer un bib... Pas comme ça, voyons, Éric, tu vas le laisser tomber... Tu peux pas faire attention, non ? Qui m'a fichu un crétin pareil ? Viens là, mon bébé, viens avec papa... On va aller voir maman à la cuisine...

— Ben, alors, Mamiène, qu'est-ce que t'attends pour...? il va s'asphyxier à force de hurler... Là... Là, Teddy...

— On n'a plus assez de lait en poudre... Je t'avais dit qu'il fallait en apporter de Paris !

— Et cette boîte, là, c'est quoi ? T'as pas les yeux en face des trous, ma parole !

— Ah ! je t'en prie, Roland, ne me parle pas sur ce ton. Je ne suis pas ta bonne. D'ailleurs il n'a pas faim, il a sommeil ; normal, à peine il s'endort que tu le réveilles pour jouer avec. Donne, je vais aller le recoucher.

— D'abord, c'est pas vrai, si je l'ai pris, c'est parce qu'il pleurait. Ensuite, dans une heure, son bib, ça va être l'heure... Alors, active un peu, tu veux !

Ça barde, aujourd'hui, à Montfort-l'Amaury. Humeur et temps de chien. Ils sont seuls avec les deux gamins, Roland et Mamiène, à tourner comme des rats, enfermés dans cette grande baraque battue par la pluie. Sabrina s'est précipitée chez son père, dès jeudi soir, elle n'avait pas cours le lendemain... Ça y est là ! Il s'est enfin décidé à lui présenter sa fiancée. Cette rencontre au sommet a eu lieu hier à la Tour d'argent, pas moins, et depuis, rien. Pas un coup de fil. La petite n'a même pas daigné se présenter au rapport.

Mamiène en est malade. Ça n'est pas le moment de venir l'emmerder avec ces histoires de biberon... A quoi elle ressemble, cette Alix de Truc-Machin ? Une petite garce, sûrement, une langue de vipère. Comment elle a fait pour mettre le grappin sur Clint ?

Ben, tiens! En le montant contre son ex, en la débi-
nant, elle, Marie-Hélène de Ville d'Avène. Et si elle
allait lui piquer jusqu'au nom de Clint, sous prétexte
que ce sera le sien dès qu'elle sera mariée...? Allez,
arrête de t'en faire, ma fille, tu verras bien... Pas la
peine de te prendre la tête à l'avance!

Faut dire, depuis que sa propre mère l'a quittée
pour une autre, elle ne sait plus où elle en est,
Mamiène. Surtout ici, pendant les week-ends.
Tonette se tire, quoi qu'il arrive, du vendredi soir au
lundi matin et, en son absence, c'était tout naturellement à Mamie-Couette de faire tourner la maison-
née. Gouvernante, serveuse, cuistot, jardinier, elle
jouait aussi les marmitons et les entreprises de net-
toyage, équipe de nuit, quand Roland s'avisait de
préparer le dîner : Je m'en occupe, mamie, ça vous
reposera. Simplement vous m'épluchez tout ça...
Haché fin, hein, les oignons... Vous me montez deux
œufs en neige... Vous me préparez une mayonnaise...
Et vous dégagez. Je ne veux personne en cuisine...
Mamie! mamie! Ben, où vous étiez passée? Je ne
trouve pas l'écumoire... Dans la machine à laver?
Fallait me la vider... Attention à pas marcher dans la
poêle à frire... Ben, oui, par terre! Où voulez-vous
que je la mette?... Ça? C'est rien... Des bouts de
verre, j'ai cassé la bouteille d'huile d'olive... Vous
épongerez plus tard... Allez, allez, du balai!

Elle vient bien encore de temps en temps, Mamie-
Couette, avec ou sans Nanou, mais c'est plus comme
avant.

— Qu'est-ce que t'as à faire la gueule, enfin,
Mamiène? Si c'est ça, je vais m'en occuper, moi, de
ce biberon!... Tiens, prends le bébé et pousse-toi de
là... Qu'est-ce qu'il y a encore, Éric?

— Quand est-ce qu'on mange? J'ai faim.

— Oh, que oui, qu'on a faim!... On vient à peine
de se taper une plaque de chocolat, une demi-
baguette et une bouteille de Coca pour son quatre
heures, qu'on veut son lolo, pareil que son petit
frère... Et il n'y a pas que ça, on a fait un gros caca

dans sa couche, un beau caca pour son papa, pas vrai? Tu te fous de moi ou quoi?

— On ne dit pas caca, on dit popo, voyons, Roland! Combien de fois faudra-t-il te le répéter? Caca, c'est...

— C'est merde, voilà ce que c'est! Ras le bol! Ça pleure, ça pleurniche, ça rouspète... Mamiène, tu fais ce que tu veux, tu vas coucher le petit, tu vas langer le grand, mais tu dégages. Allez, dehors tout le monde, du balai!

— Écoute, Alain, je ne comprends pas; qu'est-ce que tu attends pour la rappeler, Marie-Christine? C'est pas parce qu'elle était trop bousculée pour te parler l'autre jour que tu dois laisser tomber...

— Arrête de me tanner, tu veux, Caro! Qui t'a dit que j'allais... Je sais ce que j'ai à faire. On a convenu de se téléphoner la semaine prochaine et... De toute façon, c'est pas tes oignons.

— Eh ben, qu'est-ce qu'il te faut!

— Un peu de confiance, un peu de patience, voilà ce qu'il me faut. Comment veux-tu qu'on devienne amis, Éric et moi, si tu me traites en ennemi? Il y en a marre à la fin de ces procès d'intention, de ces reproches continuels: Pourquoi tu fais pas ci, pourquoi tu lui as dit ça...? C'est bien la preuve que tu préfères tes gosses au mien, etc. Est-ce que je t'accuse de jouer les marâtres, moi?

— Manquerait plus que ça! Je les aime comme s'ils étaient à moi, Justine et Romain, tu le sais très bien. Et eux aussi. Je suis sûre qu'Éric, ce serait pareil s'il ne sentait pas...

— Je vais te dire, moi, ce qu'il sent, pas besoin d'avoir du flair d'ailleurs, ça pue le pourri à plein nez, il sent ce qui se passe entre toi et moi. Entre lui et moi, si tu n'étais pas là, ça se passerait très bien, pas de problème! A se demander si je ne devrais pas l'emmener passer un week-end entre hommes, pour l'agence, dans un club de vacances...

— Tu ferais ça ? T'es un amour, tu sais... Rien que vous deux... Ce serait génial... Éric ! Éric ! Viens vite... Viens donc !... Chéri, pap... Alain a quelque chose à te proposer. Un truc formidable ! Ça, tu ne peux pas refuser.

Alors, là, bravo, bien joué, Caro ! Ah, il ne peut pas ? Eh bien, tu vas voir !

MAMIÈNE : Alors, elle est comment, la fiancée de ton père ?

SABRINA : Nulle. Pas sympa. Hypermoche. Revêche, maigre, sèche, blondasse, pâlichonne, mal lunée, mal fringuée, gilet court, jupe pochée, écrase-merde... Pas du tout pour Clint, cette fille. Il va en changer, je crois.

BARBIE : Alors, elle est comment, ta future belle-mère ?

SABRINA : Géniale. Méga-sympa, hyperjolie, longue, mince, châtain clair, très discrète, très bien sapée, blazer, jupe plissée, talons plats. Tout à fait pour papa, cette fille. Ça va le changer... Tu crois pas ?

ABI : Alors, elle est comment, sa petite amie à Clint ?

SABRINA : Pas terrible. Sympa, j'en sais rien, elle n'a pas ouvert sa gueule. Ni moche ni jolie, quelconque. Habillée... Je peux pas te dire comment, j'ai pas fait attention. Mais, bon, très peu pour moi, cette fille ! Il va me la changer, crois-moi.

Oui, je sais, vous vous demandiez où elle avait bien pu passer, Barbie. Désolée, je l'ai lâchée, sans le vouloir. J'étais là, à recompter mes mailles sur mon aiguille à tricoter : Voyons, je devrais en avoir... Flûte, il y en a une qui a dû filer. Déjà que dans une famille normale, douée comme je suis, j'ai du mal à m'y retrouver, dans une famille patchwork, avec des augmentations et des diminutions à chaque bout de rang, c'est infernal.

Elle n'est pas allée bien loin, remarquez. Pour le moment, ils se baladent, avec un slip de rechange et une trousse de toilette entre « chez moi ? » ou « chez toi ? », Gilles et Barbie. Chez moi, c'est chez elle, chez Irène, dans sa chambre de jeune fille. Et chez toi, c'est chez lui, chez Mamiène, dans une chambre de bonne, ravissante mais trop petite pour deux. Ils s'en contentent, bien obligés. Gilles vient d'être engagé dans un cabinet d'avocats internationaux et il y a de grandes chances pour qu'on l'envoie bientôt passer un an ou deux à Londres. Alors au lieu d'éplucher les petites annonces du *Figaro* à la recherche d'un appart, *im. gd stand. s. de b.*, *soleil, 60 m carrés*, ils guignent plutôt du côté des châteaux à louer l'espace d'un lunch l'après-midi dans les environs de Paris.

Barbie, je l'ai donc retrouvée dans sa baignoire, rue Leverrier, mains haut levées sous la menace du séchoir à cheveux brandi par une Irène exaspérée :

— Enfin, Barbie, tu ne parles pas sérieusement ? Vous êtes complètement givrés, ma parole ! Huit enfants, neuf maxi ! A toi toute seule ? Ah, ça te va bien ! Tu sais à quoi tu vas ressembler, avec tes poils blonds, tes yeux bleus et tes joues roses ? A une énorme truie. C'est ça que tu veux ?

— Pas forcément, sa grand-mère en a eu dix et... De toute façon, il s'en fout. Il veut que je vieillisse dans la dignité. Façon Barbara Bush. Avec du ventre, des rides, des cheveux blancs... Aucune importance du moment que c'est naturel, pas trafiqué. Au contraire, il trouve ça charmant...

— Ben, tiens ! Et le jour, il viendra vite, crois-moi, où m'sieur Papa laissera tomber sa grosse mémé, pour jouer à hue dada avec un petit boudin plus jeune que sa fille aînée, tu trouveras ça comment, toi, hein ? Franchement, chérie, à ta place, je...

— Justement, tu n'y es pas, à ma place, ma pauvre

Ira, et moi, plutôt crever que de me retrouver à la tienne, à galérer toute seule pendant des années pour se contenter ensuite de...

— De quoi ? D'un poste de prof à la fac ? Doublé d'une famille multiraciale ? Tu préfères dépendre entièrement d'un mec et mettre bas des portées de petits...

— Tiens, je croyais que t'avais échangé ton vieux 45 tours « Mon ventre, il est à moi », contre un C.D. « Touche pas à mon pote ». Tu ne vas pas me ressortir ta rengaine M.L.F. quand même ! Elles ont compris votre malheur, les filles de mon âge. Pas question de sacrifier sa vie perso à sa vie professionnelle. Un homme et des enfants d'abord. Bien à soi. Après on verra.

— C'est tout vu... Lui va faire carrière et toi bonne à tout faire... Voyons, chérie, sois raisonnable. Des vols Paris-Londres, prix coup de cœur, il y en a pour cinquante minutes. Vous vous verrez pendant les week-ends et tu ne seras pas obligée de renoncer à ton métier, un vrai métier, là, plein d'avenir... Enfin, c'est pas possible, tu viens à peine d'entrer dans l'édition.

— Ouais, c'est ça, hôtesse d'accueil au Salon du livre. Fulgurants, mes débuts ! Appelez-moi Odile Jacob...

— Tu rigoles ? Je ne me permettrais pas d'insulter Mrs. Mylawyerisrich... Mais ne viens pas me demander, après ça, de garder tes gosses le jour du divorce et de t'acheter un petit tailleur gris pour passer à la conciliation, sous prétexte qu'une longue robe blanche ou une large robe-sac, ça n'est pas de circonstance.

— Si c'est ça qui t'inquiète, rassure-toi, Mamiène s'occupe de tout : Saint-Honoré-d'Eylau, la messe, les hymnes, le discours du conseiller municipal, le buffet, les demoiselles d'honneur, les photos, l'orchestre, les faire-part... Tiens, justement, j'ai un problème, là, je voulais t'en parler... Du côté de Gilles, ils sont une bonne vingtaine, les grands-parents, les beaux-parents, les ex-parents, les parents, leurs enfants à être heureux d'annoncer... Ça nous oblige à prendre d'énormes cartons d'invitation pour inscrire tout ça sur sa page à lui. Alors que moi, en face, sorti de toi et d'Abi, j'ai personne. Plutôt minable, non ?

— Tu crois ? Et si on rajoutait Bernard et les gamins, ça meublerait un peu...

— J'y ai bien pensé, mais j'ai peur que ça détonne. Gilles, c'est le style Mayflower, et un vase chinois, une statue nègre dans du colonial américain, ça risque de faire...

— Ça ferait très bien au contraire, une touche d'exotisme sur du bois vernis et du chintz... La mode est aux mélanges.

— Non, plus maintenant. Maintenant, c'est très design, très dépouillé, très...

— Parfait ! On ne peut pas faire plus design, plus dépouillé que : Les demoiselles Lermontier mère et fille ont le plaisir de... Ça ne tiendrait qu'en une ligne... Un simple trait noir sur une grande page blanche... Le comble du chic !

Alors, Éric, enfin apaisé, heureux, rue de Grenelle ? Non, pas du tout. Paumé. Frustré. Terriblement déçu. Rien d'étonnant. Vous connaissez Mamiène : un petit secrétaire en loupe de bouleau, un petit maître du XIXe siècle, à peine les a-t-elle croisés chez un antiquaire ou un marchand de tableaux qu'il les lui faut de toute urgence. Elle ne pense plus qu'à ça. Pour ce petit bonhomme, ça a fait pareil. Du jour où Roland lui a lancé négligemment : Tu sais, Éric, moi, je le verrais bien à demeure, dans sa chambre, elle n'a pas cessé de le tanner : Alors, ça vient, ce gamin ? T'es retourné voir l'intermédiaire, comment elle s'appelle déjà... ? Mme Refoule, c'est ça ? Et la propriétaire, elle va nous le céder, oui ?

Et maintenant qu'il le lui a ramené, passé les premiers jours d'intense satisfaction : Regarde comme il est bien là, cet enfant, entre le lit bateau, les étagères à jouets, devant ces deux grandes fenêtres... elle n'y prête guère attention. Éric fait partie des meubles à présent. Et, bon, elle s'est mis autre chose en tête : le mariage des enfants. Gilles et Barbie. Elle le veut à leur image : beau, romantique, charmant, discret, pas trop, opulent, juste ce qu'il faut. Pas d'épate, pas d'esbroufe, pas de gros choux en organdi blanc, coiffés d'un nœud rose bonbon, épinglés tout le long d'un immense buffet croulant sous les homards, les saumons et le caviar à la louche. Ce serait d'un vulgaire, d'un m'as-tu-vu, d'un bourgeois !

Restons simple : au lieu d'une bague de fiançailles, Barbie portera une alliance sertie de trois petits diamants... tournés vers la paume de la main pour pas que ça se voie. Mamiène est formelle : C'est ce qui se fait de plus chic, cette année, dans les milieux aristocratiques. Donc, c'est ce qu'on fera. Non, ça ne se discute pas. Maintenant, pour les demoiselles d'honneur... J'ai vu quelque chose de pas mal... Tiens, passe-moi ce magazine... Pas *Elle*, voyons, chérie, *Vogue* ! Et plus vite que ça. Il nous reste à peine deux mois. Jamais on n'y arrivera !... Oui, Éric, qu'est-ce qu'il y a ? Emmener tes patins à roulettes au... J'en sais rien, moi, demande à Tonette... Tu vois pas que je suis de noces ?

Et celles de Clint, elle s'en fout, maintenant ? Non, pas du tout. Mais pas la peine de se faire du mouron. Sabrina s'en charge. Une Sabrina qui se consacre avec une telle ardeur, c'est bien la fille de sa mère, à son entreprise de sape, qu'elle n'a pas idée, elle non plus, de s'occuper de son petit frère. Aucun besoin d'ailleurs : il est là, c'est ce qu'il voulait ; elle aussi, de ce côté-là, plus de problème !

Le seul à en poser, des problèmes — T'as vu un peu tes notes de maths ? —, c'est Roland, qui ne trouve pas suffisamment de débouchés dans son nouvel emploi : père de famille nombreuse. Pas un emploi à plein temps, attention. Ça tient plutôt du petit boulot au noir. Très occasionnel. Gilles, le peu qu'il l'a, faut qu'il le cède à Barbie et à Mamiène. Elles le monopolisent entièrement, du moins, elles essayent :

— Qu'est-ce que tu dirais d'un orchestre de jazz?... Ce serait moins tarte que... T'écoutes ce qu'on te dit? Enfin, mon grand, ce mariage, ça te concerne un peu aussi quand même, non?

— Et moi, ça ne me concerne pas, ce mariage, peut-être? Enfin, Mamiène, je suis quand même le père de Gilles, non?

— J'en sais rien, moi, Roland, demande à sa mère... Oh! là là! T'as vu l'heure? Faut qu'on aille se changer... L'orchestre, on en reparlera demain, les enfants. Là, j'ai pas le temps. Zaza a insisté pour qu'on arrive tôt. Elle a les Bavrèze à dîner et ils prennent le premier avion pour je ne sais plus où demain matin.

— Ça, ils peuvent bien prendre l'avion pour le Zimbabwe, j'en ai rien à cirer, moi, des Bavrèze! Pas question d'aller à ce dîner.

— Qu'est-ce qui te prend? Ça fait trois semaines qu'on est invités. T'as peur de tomber sur Miss Mégastar, c'est ça? Tu risques pas. David l'a larguée. Même que Zaza...

— Qui Zaza? Quoi Zaza? Fini, ça, les dîners en ville, les sorties en boîte, terminé, combien de fois faudra-t-il te le répéter? Je veux mener une vraie vie de famille. Avec ma femme et mes enfants.

— Alors là, désolée, mais ce soir tu feras sans. Moi, quoi qu'il arrive, je vais chez David et Zaza. Gilles et Barbie chez des copains. Sabrina chez Abi. Éric et Charles-Édouard chez Tonette.

— Comment ça, chez Tonette?

— Ben, oui, quoi, dans sa cuisine. Comme on sort, elle va manger avec eux, enfin, avec Éric... Parce que le bébé, lui...

— Je regrette, je ne sors pas. Dis-lui de mettre le couvert dans la salle à manger. Je dîne là. Avec les enfants.

— Non, mais tu me prends pour qui? Dis-le-lui

toi-même... Eh ben, qu'est-ce que t'attends? T'as peur de te faire engueuler?

Plutôt, oui! Elle va l'envoyer péter, Tonette:

— Où vous avez la tête, m'sieur Roland? Pouviez pas me le dire avant? Je n'ai rien prévu, moi. J'ai pas le temps d'aller acheter de quoi vous faire à manger et, de toute façon, ils sont fermés là, les commerçants. Éric, ramasse la tétine de ton petit frère, sois mignon... La voilà, ta tétine, mon bébé. Bon, maintenant, va te laver les mains, mon grand, et assieds-toi là que je te serve...

— Enfin, Tonette, les mains, fallait qu'il aille les laver avant, pas après avoir ramassé cette tétine... Tiens, rends-la à papa, ta tétine, mon bébé, on va la passer à l'eau bouillante.

— N'importe quoi! S'il fallait ébouillanter tout ce qu'il porte à sa bouche, à commencer par son pouce... Allez, pleure pas, va, mon bichon... Vous allez le laisser tranquille, oui?

— Non! je suis tout de même mieux placé que vous pour connaître les règles de l'hygiène la plus élémentaire. Surtout là, avec ces nouveaux microbes qui résistent à tous les antibio...

— Oui, ben, pas besoin d'avoir le prix truc là... Nobel pour savoir... Qu'est-ce qu'il y a encore, Mamiène? Ton kilt Chanel? Tu me l'avais salopé. Je l'ai donné au teinturier. Allez, ma fille, va vite t'habiller et ne laisse pas traîner ton m'sieur Roland dans ma cuisine... Emporte-moi ça vite fait... Non, mais qu'est-ce qu'il s'imagine, celui-là? Je lui en foutrai, moi, des microbes... Et n'oubliez pas vos clés! Je veux bien coucher là, rapport à Teddy, mais comptez pas sur moi pour vous ouvrir au milieu de la nuit.

S'agit pas d'empiéter sur son territoire à Tonette. Son petit, dès que Roland fait mine de s'en approcher, elle montre les dents: N'y touchez pas! Vous allez me le réveiller, me l'énerver, me le... En quoi elle n'a pas tout à fait tort, vu ce qui se passe pendant les week-ends.

Reste, proie facile, proie fragile, un Éric qui ne

demanderait pas mieux, pauvre petit bout, que d'être au centre des préoccupations de son père, même injuste, même sévère. Seulement voilà, il n'y est pas. Loin s'en faut. Ou plutôt il y est, de près en loin, au gré de ses humeurs, à Roland. Un Roland ou tendre et attentif, ou distrait et débordé, ou furax et fuyard. Qui se manifeste ou qui se défile, à contretemps le plus souvent, sans penser à mal vu qu'il ne pense qu'à lui. Suffit qu'Éric, tout fier, tout content, ramène un bon bulletin — Tiens, regarde, papa ! —, pour se faire rembarrer : Quoi encore ? C'est vraiment pas le moment... Là, je suis en retard, j'ai trois patientes sur le billard... Ce soir ? Pas évident. Mamiène s'est encore mis en tête de... Mais bon, j'ai pas dit oui...

Seulement voilà, pour finir, il ne dira pas non. Et ce soir-là, encore, Éric se retrouva tout seul devant la télé dans un salon immense et déserté à attendre Sabrina. Interminablement. Elle est au téléphone avec Abi, vautrée sur le lit des parents et elle n'est pas près de raccrocher : Bon, alors qu'est-ce que je fais ?... Non, ne crois pas ça... Tu comprends, c'est pas la mauvaise fille, finalement, Alix. Si je donnais mon consentement, elle me mangerait dans la main... C'est ce que je me dis... Va savoir ce qu'il risque de me rapporter la prochaine fois, au cas où je la virerais, celle-là...

Et chez Caro, comment ça se passe ? Bien, trop bien. Chez Caro, il est chouchouté, il est entouré. Il est au centre de toutes les attentions. Jamais une réprimande, pas même une remarque. Justine, elle est là d'habitude, leurs week-ends coïncident, Justine le suit comme un chien. Un vrai chien sur les talons. Il s'appelle Tobby. Pourquoi Tobby ? Ben, tiens, pour faire la pièce à Teddy ! Une merveille de chien, un briard de trois mois, un chiot haut sur pattes, immense, maladroit, affectueux, craquant, une grosse boule de fourrure blonde. C'est ça le remède miracle prescrit par le Pr Christine, et ça marcherait du tonnerre, n'étaient les effets secondaires.

Éric en est fou. Oubliés les V.T.T., les Macintosh et le reste. Il n'y en a plus que pour Tobby. Tobby, viens... Tobby couché... Tobby attrape... Oh! toi, Tobby ma tendresse, mon ami, mon protégé, mon Tobby à moi... Enfin, pas vraiment à lui. Quand Éric le retrouve le vendredi, tous les quinze jours seulement, Tobby lui fait la fête. Mais quand Éric s'en arrache le dimanche, au bout de deux jours seulement, Tobby n'en fait pas un drame. Sa maîtresse, c'est Caro, c'est elle qui lui donne à manger. Alain et les deux petits viennent après. Après, mais avant Éric. Normal, Éric ne rejoint la meute familiale que de temps en temps. Et il en souffre sans oser en souffler mot. Sinon à Sabrina. Elle l'a écouté d'une oreille distraite :

— Un chiot? Tiens, marrant, chez Abi, ils ont envie d'un chien de traîneau... Tu veux que j'en parle à maman?

— Mais non, pour quoi faire? j'en ai déjà un, j'ai Tobby, mais..

— Ben, ça t'en fera deux. Remarque, elle voudra jamais. Tonette non plus. Avec Teddy, ça ferait trop de boulot et puis ça déchire, ça salit, ça... Je les entends d'ici.

— Tu comprends rien, Sab! C'est pas un chien que je veux, c'est Tobby. Je voudrais être avec lui plus souvent et je voudrais qu'il m'aime aussi et je voudrais...

— Ne me dis pas que tu voudrais retourner chez ta mère! Après tout le mal que je me suis donné pour... Tu te fiches de moi ou quoi?

— Non, c'est pas ça...

— Ben, je préfère!

— Non, mais quand même... Dis voir, Sab... Tu seras là, le prochain week-end?

— Non, j'y serai pas. Je suis invitée à une chasse chez les parents d'Alix. Pourquoi?

— Parce que moi, tout seul, avec eux et Teddy à Montfort-l'Amaury, c'est pas drôle, ils font rien que de m'engueuler.

— Et Nanou-Mamie-Couette, elles devaient pas venir?

— Mais non, elles seront pas revenues.

— Mais si, ça ne devait durer que quatre, cinq jours, ce voyage organisé... Ah non, t'as raison... Maman a reçu une carte d'Amsterdam, elles rentrent vendredi matin et elles repartent immédiatement pour la Bretagne.

— Alors, je pensais... Tu crois qu'ils me laisseraient y aller?

— Où ça? Ah! d'accord, à Tolbiac, retrouver ton clébard... Maman, pas de problème, elle s'en fiche royalement. Roland, va savoir... S'il est de mauvais poil, il va gueuler comme un âne. Et après, il t'en voudra. A ta place, je demanderais à Caro de lui demander. Sans dire que ça vient de toi. Ce serait l'anniversaire de Justine ou une virée à Euro Disney ou un truc comme ça... Il ne pourra pas refuser.

Il va se gêner!

— Ah, non, Caro! Avec toi, c'est toujours pareil. Quand ça t'arrange de l'avoir, tu nous le prends, et quand ça ne t'arrange pas, tu nous le laisses.

— Et toi, tu te gênes, peut-être, pour nous le fourguer quand t'as un colloque de crotte et que Mamiène ne tient pas à... C'est vraiment dégueulasse!

— Dégueulasse toi-même!...

— Arrête de m'insulter, tu veux, Roland? Remarque, c'est ma faute, jamais je ne t'aurais appelé si le petit ne m'avait pas supplié de...

— Ah! parce que c'est une idée à lui? Ça, alors! Éric! Éric! C'est ta mère... Elle prétend que tu préfères aller... Ben réponds! Aie le courage de tes opinions. Oui ou non?

Éric a dit oui. Un petit oui étranglé, un couinement de souris prise au piège. Auquel devait faire écho, le samedi suivant, un non horrifié, précédé d'un affreux gémissement de bête renversée sur fond de crissement de pneus. En tirant brusquement sur sa laisse, ils se promenaient à la nuit tombée devant l'immeuble — O.K., tu peux le descendre, mais t'éloigne pas surtout et fais bien attention —, Tobby la lui avait arrachée des mains et s'était précipité sous la roue d'un motard qui rasait le trottoir.

Non! Non! Oh, non! En l'entendant hurler — elle le guettait par la fenêtre, quand est-ce qu'il allait remonter? —, Justine s'est précipitée, sans même songer à alerter les parents. Elle a dévalé l'escalier, poussé la lourde porte d'entrée. Tobby s'est relevé en titubant pour venir s'écrouler, inerte, entre ses bras tendus, tremblants. Elle pleure, elle hoquette. Et le motard, prenant à témoin deux passants :

— Enfin, c'est fou, il s'est jeté littéralement sous ma roue. Quelle idée aussi de laisser une gamine sortir un chien de cette taille !

— Mais c'est pas moi, c'est... Éric! Éric! Où t'es? Éric! C'est pas ta faute... Et d'abord, il sera pas mort... Éric, s'il te plaît, reviens... Re-viens!

Re-viens! En entendant cette petite voix déchirée, suppliante, Éric qui a pris la fuite, affolé, Éric, au lieu de s'arrêter, fonce droit devant lui : Revenir où? Pas là-bas, toujours! Si, Tobby sera mort bien sûr que si! Et le voilà seul au monde. Ses parents s'en fichent de lui. Et Sab et Abi aussi. Même Tonette maintenant qu'il y a Teddy. Pas Justine, mais c'est un bébé... Il a ralenti le pas, tout à ce nouveau roman familial dont il va être le tragique héros : Chez moi, il y aurait personne... Chez moi, ce serait nulle part... J'irais sous un pont, pareil que les sans-abri à la télé... Ils m'adopteraient... Non, ils me chasseraient avec des pierres... Alors, j'irais au cimetière, mais je les laisserais pas brûler Tobby... Je le sauverais et on partirait, on irait loin, très loin, on irait...

— Non, Alain, je t'en supplie, ne fais pas ça, n'appelle pas Roland. Pas encore. D'ailleurs, le temps qu'il revienne de Montfort-l'Amaury... Faut d'abord prévenir la police, non?

— Sans prévenir son père? Enfin, voyons, mon

cœur, sois raisonnable. Même s'il ne répond pas au téléphone, il y est peut-être, là, Éric, rue de Grenelle. Seul. Et c'est à Roland, pas aux flics d'aller le...

— Mais tu te rends compte de ce qu'il va dire ? C'est entièrement de ma faute. C'est moi qui ai insisté pour qu'Éric vienne à la maison. C'est moi qui lui ai permis de descendre Tobby. C'est moi qui...

— Toi ! Toi ! Toi ! Tu ne penses qu'à toi et à ce que Roland va penser de toi. Tu ferais mieux de penser à ton fils.

— C'est immonde de me dire ça, comme si je ne... Je ne te le pardonnerai jamais... Tiens, j'y vais. S'il m'entend sonner à la porte, l'appeler sous les fenêtres, il ne peut pas ne pas m'ouvrir...

Elle a sonné. Elle a appelé. En vain. Pas un son, pas une lumière. Et elle a fini par s'asseoir, recroquevillée devant cette façade noire, hostile, à même le trottoir, une petite boule de remords et de désespoir en marmonnant : Réponds, Éric, je t'en supplie... Éric...

— Roland !
En le voyant se dresser devant elle, soudain — elle n'a pas entendu la voiture se garer et la portière claquer avec une impatiente violence, un peu plus bas dans la rue —, Caro a un mouvement de recul...

— Roland ! Comment tu as su ?

— Alain... Il m'a appelé. Encore une chance ! A quoi ça sert, ton cirque, tu peux me dire ? Il ne l'a pas la clé, Éric. C'est pas comme chez toi. Quand il rentre, il y a toujours quelqu'un !

— Sauf quand il n'y a personne !

— Et pourquoi il y aurait quelqu'un quand il n'y a personne, on peut savoir ? Ça m'apprendra à te le confier !

— Me le confier ! T'as l'air d'oublier que je suis sa...

— Oui, bon, ça va, c'est pas le moment de se disputer. D'après Tonette, je l'ai appelée, il devait avoir une télécarte et sa carte orange dans la poche de son blouson... Pas d'argent, rien. A moins que vous ne lui en ayez donné... Non? Alors, il ne peut pas aller bien loin. Il va sûrement revenir ici ou téléphoner dans l'espoir que... S'il n'est pas là dans une heure, on préviendra la police. En attendant, faut appeler les hôpitaux...!

— Les hôpitaux! Oh! mon Dieu, t'as raison... Il lui est sûrement arrivé quelque chose. Et ça, je ne survivrai pas... Oh! mon Dieu... mon Dieu...

— Qu'est-ce que tu vas t'imaginer? Allez, viens!

Il l'a relevée en la tirant par le bras et comme elle vacillait, chavirée de chagrin, engourdie de douloureuse attente, il l'a prise par l'épaule :

— Tiens, entre... Ça, par exemple, c'est allumé dans sa chambre! Comment il a bien pu...? Éric! Éric! Je suis là... On est là, maman et moi...

— Éric, mon chéri, mon bébé, c'est nous, c'est ton papa et ta maman...

Oui, mais ça n'était pas Éric. Il avait oublié d'éteindre avant d'aller chez sa mère, c'est tout.

On irait loin, très loin, on irait... Où est-il donc allé, pauvre petit bonhomme? Ben, tiens, chez Couette et Nanou. En Bretagne? Tout seul? Un gamin de son âge! C'est loin, c'est cher, un billet de train. Et il n'a pas un sou sur lui.

— Enfin, pitchoun, comment t'as fait?

— J'ai pris le métro avec ma carte orange, après j'ai monté dans le T.G.V., après il y a eu une jeune fille drôlement gentille, je lui ai tout raconté, après elle a donné l'argent au contrôleur, après elle est descendue avant, elle m'a marqué son adresse là, tu vas la rembourser, dis... Après j'ai...

Tout fier, tout excité, il a réussi la traversée Paris-Loguivy en solitaire, Éric, grisé par son aventure, en a oublié jusqu'à Tobby. Il tournicote autour de Couette et de Nanou, attablées, en robe de chambre, il est tard, sous le rond de la lampe, dans la chaleur retrouvée de cette belle cuisine de ferme, meublée à l'ancienne : Chéri, bois ton Nesquick et va te coucher. Tu te rends compte de l'heure qu'il est ? Tu nous raconteras tout ça quand on viendra te dire bonne nuit. Allez, va, mon grand... Faut qu'on appelle tes parents.

Il s'est immobilisé, raidi, soudain dessoûlé. La panique l'a repris :

— Mais, t'es folle, Nanou ! Je veux pas, je veux plus, je veux rester ici, je veux pas retourner chez eux... Jamais, t'entends ?

Elles l'ont rassuré, chouchouté : Là... Là... T'en fais pas... Personne t'obligera à... Elles ont échangé, à son insu, des regards indignapitoyés : Si c'est pas malheureux quand même ! Elles sont montées avec lui. Elles l'ont tendrement enfoui sous sa couette, bien au chaud, bien au doux : Dors bien, mon chéri, et ne t'inquiète pas surtout. Compte sur nous pour...

Ah, ça, oui, on peut leur faire confiance ! Quand Éric se réveille le lendemain matin, il ne sait plus où il est... A Tolbiac, puisqu'il y a Tobby... Mais non, à Logui... Alors, ça peut pas être lui... Mais si ! Il a bondi hors de son lit en entendant japper... Il a dégringolé l'escalier, déboulé dans la cuisine... C'est bien lui, c'est Tobby, oui, Tobby, qui lui fait la fête, qui lui saute dessus... Enfin, c'est pas vrai ! Alors, il a rien eu ? Si, il boite un peu, il s'est foulé un muscle à l'épaule droite et sa tête a heurté le trottoir, c'est ça qui l'a mis K.-O. Mais bon, c'est rien. On l'a amené chez le véto...

Qui ça, on ? Alain et Justine. Nous, on était tellement inquiets pour toi que... Qui ça, nous ? Caro et Roland. Ils sont là, eux aussi, ils sont arrivés en voiture, complètement vidés, au petit matin, après avoir roulé une bonne partie de la nuit, mais, tout à son chien, Éric fait comme s'il ne les voyait pas :

— Éric, mon chéri, viens là, viens m'embrasser, viens voir maman, je t'en supplie... Éric... si tu savais comme je t'aime, et papa aussi, si tu savais ce que...

Alors, Nanou, mauvaise :

— Lui, il le sait peut-être. Pas moi. Couette non plus. Alors, Éric, tu prends ton chien, tu prends tes tartines et tu remontes dans ta chambre le temps qu'on s'explique avec tes parents.

Cinglante, l'explication, emportée par le vent furieux d'une Nanou brusquement déchaînée. Un ouragan de colère rentrée. Faut que ça sorte, là, maintenant. Trop c'est trop :

— Quand vous vous l'êtes offert, cet enfant... Offert, oui, parfaitement, pareil qu'une bagnole ou un appartement, sauf que ses traites, on les honore, bien obligé, sinon c'est la saisie-arrêt. Avec un gamin, rien à craindre, on ne doit rien à personne. Surtout pas à lui, manquerait plus que ça! Quand vous vous l'êtes payé... Ah, je vous en prie, ne dites pas le contraire! La preuve, vous n'arrêtez pas de vous le disputer : il m'a coûté plus qu'à toi. Il aura plus de quoi chez moi. Voyez pas qu'à force de le tirer à hue et à dia, vous allez finir par le pousser par la fenêtre. Et s'il allait se suicider?... Comment ça, impossible! Ça arrive de plus en plus souvent, je vous signale. Pas étonnant. S'agirait quand même de savoir qui passe avant qui dans ces fameuses familles à la mords-moi-le-nœud. Le nouveau partenaire, par définition. Autrement on ne foutrait pas tout en l'air pour défaire et refaire sa vie au petit bonheur la chance, c'est le cas de le dire... Vous dire ce qu'il faut faire pour le rendre heureux, ou plutôt moins malheureux, ce pauvre enfant? Ah, ça non! C'est pas à moi... Non, Couette, t'en mêle pas... C'est pas à nous de leur indiquer la marche à suivre pour réparer les pots cassés. Nous, nos filles, on y a fait très attention, on ne voulait pas prendre le risque de les abîmer, encore moins de les laisser tomber en les envoyant à la figure de leurs pères... Responsables et coupables, voilà, ce que vous êtes... Si, parfaitement, Caro, je regrette! La solution, à vous de la trouver. Nous, le problème ne s'est jamais posé!

— Il exagère quand même, Éric, il devrait être là depuis une heure... Tu lui as bien dit qu'on faisait tanière, Sab? On commence sans lui ou quoi?

— Commencer sans lui? T'es folle, enfin, Abi! Quel intérêt? On l'a pas revu depuis qu'il est rentré et je veux... Mais, bon, c'est vrai, il pousse! Ah, te voilà, toi! Tu te fiches de nous ou quoi, Éric? On avait plein de choses à se raconter et on t'a pas attendu, je te signale...

— Alors, là, ça m'est bien égal! Si vous voulez parler filles, vous avez qu'à le dire, je m'en vais...

— Enfin, qu'est-ce qui te prend? Allez, dépêche, viens sur le lit, mets-toi là, à côté d'Abi...

— On dit s'il te plaît et on me parle gentiment. Très gentiment. S'il te plaît, mon petit Éric adoré...

— Je vais t'en donner, moi, du petit Éric adoré! Non, mais où tu vas là?

— Je vais où je veux quand je veux comme je veux. C'est moi qui décide, c'est décidé.

— Décidé par qui? Par les parents? On te croit pas. C'est quand même aux enfants de...

— Si, justement. Dans la voiture en revenant de chez Nanou-Couette, ils ont dit qu'ils savaient plus quoi faire pour que je sois heureux, alors il faut que je leur dise ce que je veux pour qu'ils fassent tout comme je veux.

— Mais tu veux quoi exactement?

— Je sais pas, moi, ça dépendra des fois. Y a des fois où je voudrais être chez ma mère, d'autres fois ici, d'autres fois... Et si j'ai pas envie d'y rester, je suis pas obligé, j'ai qu'à m'en aller, mais ils aimeraient bien que je leur dise où pour pas qu'ils s'inquiètent et ça, j'ai dit bon, si j'y pense, O.K. Et Tobby, il sera rien qu'à moi, on se quittera plus. Là, il est à la cuisine, il voulait que Tonette lui fasse une bonne pâtée avec du riz et tout, il en a marre des boîtes. Elle a dit non, j'ai dit si, c'est moi qui commande. Et ce soir, je l'emmène au restaurant, un vrai, pas un MacDo avec Alain et maman et peut-être Justine, j'ai pas encore dit oui. Et demain on revient ici, nous deux Tobby, pour voir France-Irlande sur Canal. Et Canal, à Tolbiac, je leur ai donné trois jours pour m'abonner. Et...

— Et ils sont d'accord?

— Ben, oui, normal, je leur ai dit que j'aimais pas regarder le foot avec Roland, il est pas marrant, il râle tout le temps parce qu'ils jouent mal, alors, ma mère, tu parles si elle est contente.

— Tiens, c'est nouveau, ça, aussi, tu l'appelles par son prénom, maintenant, ton père?

— Je l'appelle comme ça m'arrange, les autres aussi et ils ont pas intérêt à m'énerver, je vais te dire...

— Pourquoi? Ils risquent de prendre des claques?

— Non, moi, je suis pas pour taper les parents, je préfère les punir s'ils ne veulent pas obéir. Là, je leur ai demandé un truc, elle, elle a pas fait d'histoires, lui si, alors je l'ai engueulé : Ça va pas recommencer, les caprices, dis donc, sinon...

— C'était quand, c'était où?

— Ben, c'était... C'était... Heu... Attends, ça va me revenir... Je sais plus où j'en suis, moi, avec tout ça...

— T'es nulle part et t'as plus de parents, si tu veux savoir. Non, sérieux! On va se les coltiner encore combien de temps, tous ces connards? Ils sont en âge de se débrouiller sans nous quand même! Moi, j'en ai ras le bol. Papa-maman, terminé. A partir de maintenant, on s'appelle Noustrois. Et notre adresse, c'est la Tanière. Tiens, Éric, va donc demander des Pepito, des Nuts et de l'Orangina à Tonette. On va pendre la crémaillère.

— Vas-y toi-même!

— Sûrement pas! Fini, ça, mon petit bonhomme. On fonde une famille. Une vraie. Avec un chef. Et le chef, c'est moi... Oui, parfaitement, Abi, je suis l'aînée. Allez, grouille Éric... Et ramène Tobby. Normal qu'on ait un chien.

— Génial! J'y vais... Dis voir, Sab... Et Justine, on pourrait pas...

— J'ai dit une vraie famille. Une famille qui restera ensemble toute la vie. Alors, si on commence à l'élargir, nous aussi... Après ce sera Romain... Après tous ceux d'Irène. Et de Clint. Et de Gilles, il en veut

une bonne douzaine... Après il y aura des disputes...
Et ça va recommencer, les séparations, les... T'es pas
d'accord, Abi ?

— Non, pas du tout. Moi, je trouve que ce serait
très bien. Avec Éric, ça nous ferait deux enfants. Le
garçon et la fille. Une famille classique. Plus tard, si
on veut une famille nombreuse, on aura un petit
Teddy et basta ! Allez, papa Sab, dis oui !

— Papa qui ? Papa tout court, compris ?

IMPRIMÉ EN FRANCE PAR BRODARD ET TAUPIN
Usine de La Flèche (Sarthe).
LIBRAIRIE GÉNÉRALE FRANÇAISE - 43, quai de Grenelle - 75015 Paris.
ISBN : 2 - 253 - 13977 - 7